ПОЛОСА ВЕЗЕНИЯ

Бабские истории Екатерины

Вильмонт

Екатерина ВИЛЬМОНТ

БРЕД СИВОГО КОБЕЛЯ

Астрель
Москва
2005

УДК 821.161.1-31
ББК 84(2Рос=Рус)6-44
В46

Серийное оформление *Кудрявцев А. А.*
Слайд предоставлен фотоагентством M-STAR

Подписано в печать с готовых диапозитивов 03.06.05.
Формат 84×108$^1/_{32}$. Бумага газетная. Печать высокая с ФПФ.
Усл. печ. л. 13,44. Тираж 50 000 экз. Заказ 1588.
Общероссийский классификатор продукции ОК-005-93, том 2;
953000 — книги, брошюры
Санитарно-эпидемиологическое заключение
№ 77.99.02.953.Д.001056.0305 от 10.03.2005 г.

Вильмонт, Е. Н.

В46   **Бред сивого кобеля:** [роман] / Екатерина Вильмонт. — М.: Олимп: Астрель: АСТ, 2005. — 251, [5] с. — (Полоса везения: Бабские истории Екатерины Вильмонт).

ISBN 5-17-031983-5 (ООО «Издательство АСТ»)
ISBN 5-271-12211-5 (ООО «Издательство Астрель»)
ISBN 5-7390-1697-5 (ООО «Агентство «КРПА Олимп»)

Казалось бы — что нужно женщине для счастья? Любящий муж, богатый дом... Но рядовой поход в гости к свекрови перевернул всю ее жизнь. Нежданно-негаданно она встретила там Его. И утонула в его глазах, и забыла обо всем. Хотя... у нее нет права его любить.

УДК 821.161.1-31
ББК 84(2Рос=Рус)6-44

ISBN 5-17-031983-5 (ООО «Издательство АСТ»)
ISBN 5-271-12211-5 (ООО «Издательство Астрель»)
ISBN 5-7390-1697-5 (ООО «Агентство «КРПА Олимп»)
ISBN 985-13-4421-4 (ООО «Харвест»)

Пролог

— Кто это? — спросил Алексей, увидев в мастерской матери портрет сангиной.

— Туся, — рассеянно ответила мать.

— Какая Туся? Кто она?

— Бывшая балерина. Что, хороший рисунок?

— Чудо!

— Рисунок или модель?

— Не знаю. Глаз не оторвать.

— Она на пять лет старше тебя.

— При чем тут возраст? Я же не собираюсь...

— А по-моему, как раз собираешься, — засмеялась Нина Михайловна.

— Дашь мне ее телефон?

— Лешик, с ней не надо играть. Она травмирована...

— В каком смысле?

— И в буквальном, и в переносном. Она прелесть, но не для тебя. Да и ты не для нее.

— Мать, мы, кажется, условились: ты в мою личную жизнь не лезешь. Как и я в твою.

— А я не лезу. Просто не считаю ее пока частью твоей личной жизни. К тому же ты ревнивый, а она безумно нравится мужикам.

— Хочешь сказать, что в ее лице я приобрету лишнюю головную боль?

— Для популярного журналиста ты выражаешься чересчур неуклюже.

— Ладно, мать, ты скажи — дашь мне ее телефон?

— Не хотелось бы, но ты ведь все равно узнаешь, если захочешь.

— За что я тебя люблю, мать, так это за ум, — и он чмокнул ее в щеку. — А адрес ты знаешь?

— Вот чего не знаю, того не знаю.

Он явился к Тусе с букетом роз. А ее не было дома. Я идиот! И дернул меня черт прийти сюда без звонка. А вдруг у нее противный голос? Вдруг она скучная, глупая, без чувства юмора, да еще и неряха? Правда, мать сказала, что она прелесть. Но это на женский взгляд.

Он в задумчивости сел на ступеньку, не очень понимая зачем. Ждать ее? Делать мне, что ли, нечего? Я полный кретин. Увидел портрет — и помчался. Мне завтра статью сдавать... А может, ее вообще нет в Москве?

— Послушайте, зачем вы терзаете розы? — раздался вдруг низкий женский голос. — Вы кого-то ждете?

Он поднял глаза и обомлел. Это была она. Каштановые с рыжинкой волосы, зеленовато-карие, чуть раскосые глаза, словно бы припухшие губы. Такое очарование во всем облике... Мать — гений, мелькнуло у него в голове.

— Вы, наверное, к Ляле?

— Нет, я к вам...

— А зачем розы общипали?

— Ой, я задумался, простите! — Он вскочил.

Она, стоя на несколько ступенек ниже, смотрела на него снизу вверх, и в глазах была такая беззащитность, что у него внутри все перевернулось.

— А вы кто? Мы разве знакомы? У меня вообще-то хорошая зрительная память...

— Нет, мы не знакомы, вот я и пришел исправить эту досадную ошибку. Меня зовут Алексей, Алексей Майоров. Я сын Нины Михайловны Воронко.

— Да? — радостно улыбнулась она.

Я пропал, подумал он.

— Тогда пойдемте, я вас чаем напою.

— А можно кофе?

— Кофе у меня нет, — вдруг страшно смутилась она.

— Можно и чай...

— Понимаете, я не люблю кофе, а покупать для гостей... У меня и гостей-то почти не бывает...

— Теперь будут. Я буду ходить к вам в гости.

— Зачем?

— Хочется.

Она засмеялась и открыла дверь. У нее была маленькая однокомнатная квартирка, скромная, чтобы не сказать бедная, но сверкающая чистотой.

— Раздевайтесь, пожалуйста, только обувь не снимайте.

— Но у вас такая чистота...

— Ничего, грязь с полу вытереть несложно, а мужчин в носках я терпеть не могу.

— Позвольте ваше пальто...

Он взял у нее пальто, повесил на вешалку, потом снял куртку.

— Розы безнадежно испорчены? — смущенно спросил он.

— Да нет, три штуки придется выкинуть, а остальные в порядке. Красивые, жаль, недолго простоят...

— А я вам еще принесу...

— Зачем я вам понадобилась вдруг?

— Честно?

— Ну конечно.

— Я влюбился... сначала в ваш портрет у мамы... А сейчас уже по уши втюрился в вас... вы в жизни еще в сто раз лучше.

Ее смех был низкий, волнующий, зазывный. У него голова шла кругом.

— Да вы сядьте. Сейчас заварю чай, у меня есть сушки и крыжовенное варенье. Хотите?

— Хочу.

— Послушайте, а сколько вам лет?

— Двадцать восемь.

— У-у-у!

— Что?

— А мне тридцать четыре почти.

— Ну и что?

— Я стара для вас.

— Господи ты боже мой! — воскликнул Алексей. — Какую чушь вы городите! Не все ли равно — сколько вам лет?

— Мне — не все равно, — отчеканила она. — Я так не хочу...

— У вас кто-то есть? — вдруг смертельно испугался он. До этой минуты ему и в голову не приходило, что она не одна.

— Есть, — не слишком уверенно проговорила Туся.

А он понял — врет. Таких беззащитных глаз не бывает у женщин, когда у них есть любящий мужчина. Несмотря на относительную молодость, он уже это знал.

— И он любит вас?

— А вам что за дело?

— Вы хотите, чтобы я ушел?

— Да.

— А если не уйду?

— Тогда уйду я.

— Куда?

— Куда-нибудь.

— Послушайте, Туся... А кстати, как вас зовут? Татьяна?

— Нет, Наталья.

— Вам идет имя Туся. Послушайте, выходите за меня замуж!

— Замуж? — Она покрутила пальцем у виска.

— А что тут такого? Я обещаю оберегать вас, хранить...

— Как древнюю реликвию, что ли?

— Нет, как любимую женщину!

«Остапа несло», — вспомнил он вдруг фразу из Ильфа и Петрова. Что я делаю?

— Леша, знаете что, ступайте домой, к маме, и забудьте все... А то потом самому же будет стыдно.

— Стыдно? — вдруг вскипел он. — Чего мне стыдиться? Да я как увидел ваш портрет, просто с ума спятил...

9

— Ну так то портрет... Попросите маму отдать его вам и успокойтесь.

— Мне портрета мало, мне нужны вы...

— Это уже сказка про белого бычка.

— Значит, вы гоните меня?

— Не гоню, это было бы невежливо... Но скажем так — я вас не звала.

— Понял. Ну что ж, для первого знакомства не так уж плохо. Я уйду, но вернусь.

И он ушел.

...— Мать, скажи, на что она живет?

— Кто? — рассеянно отозвалась Нина Михайловна, помешивая что-то на сковороде.

— Туся.

Нина Михайловна быстро уменьшила огонь и внимательно посмотрела на сына.

— Мать, я задал тебе вопрос.

— Честно говоря, не знаю. Я познакомилась с ней в редакции одного глянцевого журнала. Но что конкретно она там делает, не знаю.

— Но ведь ты рисовала ее портрет... Вы что, ни о чем с ней не говорили?

— Почему? Говорили. Я спросила: правда ли, что у нее был роман с Мак-Лейном?

— С каким Мак-Лейном? — испугался он.

— С тем самым, голливудским.

— Митчел Мак-Лейн? Знаменитый актер?

— Ну да.

— Где она его взяла?

— А он тут снимался. Что, уже ревнуешь? А кстати, почему ты так заинтересовался ее жизнью? Ты что, уже виделся с ней?

— Представь себе.

— И что?

— Подожди, что она тебе ответила?

— О чем ты? — растерялась Нина Михайловна.

— Ну насчет Мак-Лейна... У них правда был роман?

— Был. Так что тебе там вряд ли что-то светит.

— Это мы еще посмотрим!

— Слушай, Лешка, а ты что, так прямо взял и заявился к ней?

— Ага, взял и заявился. С розами.

— А она что?

— Удивилась. Но когда я сказал, что я твой сын, даже обрадовалась. И чаем напоила.

— Ты же не пьешь чай!

— А у нее нет кофе. Я так понял, что ей не на что его купить.

— Может, и так.

— А этот, голливудский... Он что, ей не помогает?

— Видимо, нет. Я не знаю. Но она сказала, что они расстались. Она поняла, что он ей чужой... А еще она говорила, что продала браслет, им подаренный, и купила компьютер. И сколько-то времени жила на эти деньги. И еще, что этот роман принес ей одни неприятности. В театре чуть не сдохли от зависти.

— Она что, кордебалетная?

— Да нет, она была, что называется, корифейкой. А в тридцать получила травму на репетиции и уже не смогла вернуться на сцену. Лешка, она ранимая, одинокая, не слишком приспособленная к жизни. Не надо с ней играть.

— Не собираюсь.

— И слава богу.

— Я собираюсь на ней жениться. И уже сделал предложение.

Нина Михайловна оторопела.

— А она что?

— Практически прогнала меня.

— Ну и умница.

— А я все равно на ней женюсь. Я возьму ее штурмом. Или осадой. Но она будет моей женой. И не вздумай напоминать, что она старше меня. Мне на это плевать.

— Ну что ж, после твоей Верочки мне уже ничего не страшно.

Нина Михайловна молча поставила перед ним тарелку супа.

— Ешь, Лешик.

Он съел несколько ложек, потом решительно отодвинул тарелку.

— Слушай, мать, скажи-ка мне, как вы, бабы, реагируете...

— На что?

— На штурм, например...

— По-разному. Зависит от бабы.

— Ну есть же, наверное, какой-то стереотип?

— Отвяжись, Лешик, устраивайся сам. Ты уже большой мальчик. Но один совет, пожалуй, могу дать...

— Я весь внимание!

— Повторяй свои попытки. Приходи, дари цветы. Женщинам это всегда приятно. И если результат будет тот же, исчезни на какое-то время. Внезапно. Вдруг. И она непременно встревожится, начнет думать о тебе. Невольно.

— Ты это сама придумала?

— Да нет, твой папаша действовал со мной именно так. А недавно я прочла подобный совет в «Оракуле».

— Мать, ты читаешь такие газеты? — безмерно удивился Алексей.

Нина Михайловна покраснела.

— Раньше не читала. Но с тех пор как Люська нашла себе мужика, последовав совету этого самого «Оракула», иногда читаю.

— Ты что, тоже мужика ищешь?

— Может, и ищу!

— Ты у меня грандиозная женщина!

— Просто я еще совсем не старая, Лешик. Мне всего-то пятьдесят. В наше время это не возраст.

ЧАСТЬ 1

Глава первая

Она была еще любима,
Но ей уже не повезло.
Из песен Б. Абарова

Телефон зазвонил, когда Туся открывала почтовый ящик. Она дернулась, уронила ключи и стала судорожно шарить в сумке. Мобильник, как назло, не попадался, продолжая играть песню Сольвейг. Но когда наконец она схватила его дрожащее тельце, он умолк. Черт бы его побрал. Почему-то она была уверена, что этот звонок не предвещал ничего хорошего. Номер не определился. Может, ошибка? Она сунула мобильник в карман пальто, достала из ящика газеты, подобрала с полу ключи и сумки и, тяжело вздохнув, направилась к лифту. Сегодня с самого утра она ждала какой-то неприятности. Может, все дело в отвратительной погоде? Скорее всего. Снег с дождем, ледяной ветер, под ногами грязная каша. Словом, зима в Москве. Однако, войдя в квартиру, она вздохнула с облегчением. Тепло, чисто, уютно. Они с Алексеем купили эту квартиру два года назад, и она обожала здесь все — плитку в ванной, шкафы на кухне. Со стиральной и посудомоечной машиной она даже разговаривала. Когда посудомойка громко возвещала о конце работы, Туся спешила к ней со словами:

— Иду, иду, моя ласточка!

Она успела снять только один сапог, когда опять запел мобильник. Она выхватила его из кармана:

— Алло!

— Наталья Дмитриевна? — спросил незнакомый женский голос.

— Да.

— Слушай, ты, старая кошелка! Полакомилась молодым мужиком, и хватит! Ты и так уж давно на пенсии, а скоро тебя и муж проводит на заслуженный отдых, так что советую первой уйти. Чтобы не было мучительно больно.

И наглая баба бросила трубку. Номер опять не определился. Туся стояла посреди прихожей, сжимая в одной руке снятый сапог, а в другой мобильник. Потом рухнула на пуфик.

Вот оно, то, чего я так боялась все эти годы, что мешало мне быть счастливой на всю катушку. Только я не могла предположить, что это будет так нестерпимо вульгарно... Неужели Алексей мог связаться с подобной бабой?

Опять зазвонил телефон, на сей раз домашний.

— Я слушаю.

— Тусенька, что у тебя с голосом? — встревоженно спросила свекровь.

— Ничего, просто погода гадкая.

— Ты разве метеопатка?

— Не знаю...

— Ты мне не нравишься.

— Похоже, не только вам.

— Что? Что-то случилось? С Лешкой поссорились?

— Нет, что вы... Его вообще нет в Москве.

— А где же он?

— Сказал, что едет в Питер, а там кто знает...

— Это что, приступ ревности?

— Нет, приступ реализма.

— Слушай, давай пообедаем где-нибудь вместе.

— Спасибо, Ниночка, но, ей-богу, не хочется.

— Ерунда. Через полчаса я за тобой заеду. Будь добра, приведи себя в порядок. И я не желаю слушать никаких отговорок. Все!

Нина Михайловна не на шутку встревожилась. Она нежно любила свою невестку и считала, что Туся пробуждает в ее сыне все самое лучшее. Ее до сих пор кидало в жар, когда она вспоминала, каким чудовищным хамом он мог быть со своей первой женой Верой. Правда, в глубине души она полагала, что по-другому с этой особой нельзя, ибо человеческого языка та попросту не понимает. И все же Алексею не следовало бы опускаться до ее уровня. Туся совсем другое дело. Хрупкая, нежная, предельно женственная и, что немаловажно, хорошо воспитанная. К тому же она оказалась еще и отличной хозяйкой. В доме все сверкало, в холодильнике всегда было что-нибудь вкусное, и получалось это у нее как-то само собой, ненатужно. И даже когда Алексей устраивал ей сцены ревности, что бывало не так уж редко, он никогда не позволял себе хамить. Туся умела с ним обращаться и, кажется, по-настоящему его любила. Первые три года они прожили у Нины Михайловны, а Тусину квартиру сдавали, и она подружилась с невесткой. Они нередко секретничали на кухне. Нина Михайловна рассказывала Тусе о своих романах, прошлых и настоящих. Но сегодня, похоже, что-то случилось. У Туськи такой потерянный голос...

Подъехав к дому сына, Нина Михайловна позвонила невестке:

— Туська, спускайся, я тут! Едем обедать.

— Ниночка...

— Ничего не желаю слушать!

Через пять минут появилась Туся.

— Привет!

Они поцеловались.

— В чем дело? Что с тобой? Ты не захворала? — вдруг ужасно испугалась Нина Михайловна. — Ты была у врача?

— Нет. Я здорова. По крайней мере физически.

— Ну и слава богу! Ну, куда поедем?

— Мне все равно.

— Знаешь, мне рекомендовали один погребок... Там вроде бы старорусская кухня... Хотя нет, в мерихлюндии лучше есть что-нибудь легкое. Туська, ты что, ревешь? — перепугалась Нина Михайловна, заметив, что по щеке невестки катятся слезы. Она резко затормозила. — Выкладывай, в чем дело? Лешка что-то натворил?

Туся, всхлипывая, рассказала о звонке.

— Ну и что? — довольно жестко спросила Нина Михайловна.

— Как что?

— А так! Подумаешь, муж изменил! Покажи мне такого, который не изменяет! Ты что, заметила, что он стал к тебе хуже относиться?

— Да нет...

— Он спит с тобой?

— Да.

— Ну так мало ли что бывает! Ну сбляднул где-то, а баба губы-то и раскатала. Это, знаешь ли, способ старый как мир — ввести жену в курс дела. Авось она под горячую руку выгонит муженька, а он притащится к любовнице, просто потому что... С досады, одним словом. Или если жена не выгонит, то начнет отравлять ему жизнь. Ну сама, что ли, не знаешь?

— Боже, Ниночка, но если б вы слышали этот голос, этот тон...

— Тем более! Лешка не любит вульгарных баб. Между прочим, скорее всего, такие звонки обычно поручают подружкам. А тон и голос были выбраны нарочно, так сказать, для психологического подавления противника. И похоже, это сработало.

— Думаете, я не понимаю? Но я ведь старше...

— Пять лет не разница!

— Разница, еще какая разница! И эта стерва ударила в самое больное место... Сказала, что я старая кошелка...

— Дура ты, а не кошелка. Мне вот пятьдесят шесть, у меня самый что ни на есть пенсионный возраст, а я вовсе не считаю себя старой кошелкой. Отнюдь! Поверь, сорок лет — это самый лучший возраст. И у тебя еще все впереди.

— Что у меня впереди? — сквозь слезы улыбнулась Туся.

— Ну я не знаю... Может, какой-то офигительный роман...

— Ниночка, вы что говорите? Какой роман? А Лешка?

— Я, наверное, нетипичная мать... Я, конечно, понимаю все, но ты... Любой женщине нужен роман. И я бы тебя осуждать не стала. Знаешь, измены нужны в браке как воздух... В прямом смысле слова. А то отношения могут задохнуться...

— Да уж, вы совсем нетипичная мать, а главное, нетипичная свекровь, — покачала головой невестка.

— Кстати, ты помнишь, что у меня через неделю день рождения?

— Ну еще бы.

— Ты мне поможешь по хозяйству?

— Что за вопрос!

— Отлично!

— А народу много будет?

— Да нет, человек семь, с нами десять. Ну на всякий случай будем рассчитывать на двенадцать. Ты составь приблизительное меню, а я посмотрю...

— Ниночка, что там составлять? И так все известно.

— Тоже верно, но хотелось бы чем-нибудь все-таки удивить гостей. У тебя есть идеи?

— Надо подумать.

— Вот-вот, ты подумай, а я хочу тебе посоветовать...

— Да?

— Не говори ничего Лешке. Притворись, что ничего не было.

— Я притворюсь... Если сумею.

— Сумеешь. Ты просто должна выкинуть это из головы. Не думать, не травить себе душу. Я уверена, это все чепуха. Не обращай внимания. Лешка же тебя любит. Он тебя полгода добивался... Я тогда просто поражалась... Да ерунда все это! Наплюй!

— Постараюсь.

Алексей вернулся из Питера и привез неоспоримое доказательство того, что он там действительно был, — подарок от старой Тусиной подруги — дивной красоты скатерть с анютиными глазками разных цветов. Надя преподавала в Вагановском училище, а в свободное время потрясающе вышивала. Но через два дня, когда Туся кормила Алексея ужином, зазвонил ее мобильник. Номер опять не определялся. И все-таки она ответила, сама не зная зачем.

— Ну, старая калоша, сделала выводы? Ты не думай, я от тебя не отстану...

Туся решительно протянула трубку мужу, приложив палец к губам. Послушай, мол. Он взял трубку и вдруг побледнел, потом покраснел и рявкнул:

— А ну заткнись, падла!

И отключил аппарат.

— Это что, не в первый раз?

— Нет, не в первый.

— А ты и поверила?

Она только пожала плечами в ответ.

— Ну и дура! Знаешь, кто это? Я недели две назад уволил одну девку, а она в ответ орала, что мне это выйдет боком. Вот и придумала, как отомстить.

— Лешик, это правда?

— А почему ты молчала? Поверила, да?

— А что я должна была думать? Ты же мне не рассказывал, что уволил кого-то и что тебе грозились отомстить.

— Ты ревновала, Туська?

— А ты как думаешь?

— Тусечка, любимая моя, ты же знаешь, мне никто, кроме тебя, не нужен, тем паче такая вульгарная наглая тварь.

— Кто тебя знает... — с неимоверным облегчением проговорила она.

— И пожалуйста, если впредь что-то подобное повторится, сразу скажи мне. Обещаешь?

— Обещаю, Лешик.

Глава вторая

...Когда летит за организмом
Другой нехилый организм...

Из песен Б. Абарова

В день рождения свекрови Туся с утра поехала к ней.

— Привет, дорогая, — встретила ее Нина Михайловна. — Только ты можешь меня спасти!

— Что случилось? — спросила Туся, с удивлением оглядывая свекровь. Та была, что называется, при полном параде. — Куда это вы намылились?

— Туська, у меня свидание!

— С утра пораньше? — улыбнулась Туся.

— Он пригласил меня на завтрак! Это так романтично! Ты не думай, я тут многое уже сделала, и я недолго...

— Вы так меня огорошили, что я вас даже не поздравила. Вот тут наш с Лешкой подарок... А цветы он вечером купит.

И Туся вручила свекрови антикварную вазу фирмы Галле. Туся знала, что свекрови хотелось ее иметь. Та мгновенно распаковала подарок, радостно вскрикнула, расцеловала невестку и, уже натягивая шубу, сказала:

— Ты не думай, я в восторге, но по-настоящему буду радоваться потом. После свиданки!

И она умчалась.

Туся только головой покачала. И даже слегка позавидовала. Потом подошла к зеркалу. Да, на вид мне больше тридцати трех, наверное, не дашь. Но ведь время неумолимо. Конечно, сейчас есть куча средств и способов оттянуть старение. Можно даже сделать пластическую операцию, но что может заменить оживление и восторг от предстоящего свидания? Вон Ниночке пятьдесят шесть, никаких пластических операций она не делала, а как волшебно преобразилась сегодня... Она свободная женщина, и это, наверное, правильно. Может, пока не поздно, и мне освободиться? Уйти от Лешки самой? Что называется, пока не попросили. Но я же его люблю... А люблю ли? Или просто держусь за него? Вернее, судорожно цепляюсь? Нет, наверное все-таки люблю, раз цепляюсь... Но ведь конец ясен. Рано или поздно, он увлечется молодой. А если вдруг захочет детей? Тут уж я совсем буду бессильна. А квартирка моя, к счастью, сохранилась. И даже приносит доход... Надо, наверное, как-то готовить пути к отступлению. А главное, надо приучить себя к мысли о самостоятельной жизни...

Приняв это благое решение, она пошла на кухню — ставить тесто. Попыталась изменить направление мыслей, но это плохо получалось. И все как-то валилось из рук. Молоко убежало, мука просыпалась на пол...

О, черт, так нельзя, вечером будут гости, и все они будут ждать ее знаменитых пирогов с мясом. Надо взять себя в руки. Она пошла в комнату и принесла на кухню магнитофон, поставила Высоцкого, они с Ниночкой его обожали и всегда защищали от Лешки, который его не любил. Стало легче. Она замесила тесто и хотела было достать мясорубку, но обнаружила, что Ниночка мясо уже прокрутила. Она поставила сковородку на огонь, положила немного масла и вспомнила, что надо сперва нарезать лук. Пришлось выключить газ. И в этот момент в дверь позвонили.

— Кто там? — на всякий случай спросила Туся.

— Простите, а Нина Михайловна дома? — раздался незнакомый, но очень приятный мужской голос.

Туся глянула в глазок и увидела какого-то человека с цветами. Еще поклонник, усмехнулась она про себя и открыла дверь.

Там стоял немолодой мужчина, хорошо одетый, подтянутый и странно загорелый для этого времени года.

— Здравствуйте, — произнес он. И подумал: «Боже мой!»

— Здравствуйте, — ответила Туся и подумала: «Господи помилуй!»

Мужчина жадно всматривался в ее лицо и молчал.

Она тоже молчала, взволнованная этим взглядом.

Он первым пришел в себя.

— Простите, а Нина Михайловна... Она здесь живет?

— Да-да, ее просто сейчас нет дома.

В этот момент раздался какой-то грохот.

— Ой, что это! — воскликнула Туся и кинулась на шум. —Какой ужас!

Зеркало, висевшее в ванной комнате на двери, упало и разбилось в мелкие осколки.

— Что стряслось? — подошел сзади незнакомец.

— Зеркало разбилось... Ни с того ни с сего. Это такая ужасная примета, а у Ниночки сегодня день рождения.

Глаза Туси были полны слез.

— Быстро собираем осколки! — распорядился мужчина. — Тут у вас на углу я заметил зеркальную мастерскую. Какого размера было зеркало?

Туся беспомощно развела руками. А он подошел к двери и пятерней стал мерить след, оставленный зеркалом, висевшим тут уже долгие годы.

— Не надо слез! Я быстро обернусь. Когда Ниночка вернется?

— Она только недавно ушла... Я думаю, часа через два-три.

— Успеем! Я пошел!

И он исчез.

Господи, что это все было? Кто этот человек? Наверняка еще один Ниночкин поклонник. Ну она молодец! А до чего ж он... хорош... Мне бы такого. И она принялась собирать осколки. Неужели он действительно принесет зеркало? Наверное, он ее любит, вон как бросился... И сообразил... И мастерскую приметил... Видно, часто тут бывает... А Ниночка про него не говорила... Может, это страшная тайна? Ой, надо же поставить цветы... Красивый букет... Я вот собралась готовить себе пути к отступлению. А как же Ниночка? Она готова простить мне любой роман, но если я просто уйду... Она может не понять.

Собрав осколки и поставив в вазу цветы, она в задумчивости побрела на кухню, принялась резать лук и, разумеется, порезала палец. Не сильно, но все-таки. Что за день сегодня? А главное, почему разбилось зеркало? Видимых причин не было. Неужто просто к несчастью? Только бы этот мужик успел... Как он мне понравился, я совсем обалдела... Наверное, если бы зеркало не разбилось, а он протянул бы мне руку, я бы бросилась к нему... Хотя и вижу его впервые в жизни. Она закрыла глаза и представила себе, как он обнимает ее. Голова пошла кругом. Я что, спятила? Окончательно и бесповоротно? Кажется, да. Но наконец она справилась с собой и приготовила начинку для пирога. Потом взялась раскатывать тесто.

Пирог оставалось только посадить в духовку, когда опять раздался звонок. Туся задрожала и бросилась к двери.

На пороге стоял незнакомец и какой-то мужичонка с чемоданчиком в руках.

— Вот, я мастера привел, я мог бы и сам, но так будет быстрее.

— Спасибо огромное! Я так боюсь, что Ниночка узнает...

Она думала, что он сейчас уйдет, но вместо этого он снял пальто. Ой, сказала про себя Туся. Он, наверное, хочет дождаться Ниночки... Как я с ним буду? Он же может что-то понять... А я не сумею скрыть... Вот позорище-то будет.

— Вы проходите в комнату, я вам кофе сварю...

— Да нет, спасибо, не стоит...

— Тогда, может, чаю?

— Ну, если... Тогда лучше кофе... — каким-то странным тоном произнес он.

А она поняла, что он тоже волнуется. И ей стало страшно. Скорее бы Ниночка вернулась, что ли...

— Ниночка все-таки заметит, что зеркало другое, новое.

— Да никогда в жизни! А если вдруг... Скажите, что протерли его каким-то особым составом. Она поверит.

— Вы думаете?

— Убежден.

— Я сейчас...

— Куда вы?

— Кофе сварить...

— Не надо, не уходите... Вы балерина?

— Как вы догадались?

— Вы так двигаетесь, ногу ставите... Выворотность опять же. Где вы танцуете?

— Уже давно нигде.

— Я так и понял... У вас есть тело...

Она так смутилась, что даже жарко стало, оттянула ворот джемпера и сделала шаг к двери.

— Не надо кофе, не уходите, — повторил он.

Она покорно опустилась на стул, не глядя на него.

— Что это у вас на руке? — спросил он каким-то севшим голосом.

27

— Где?

— Да вот...

Она увидела на ребре ладони кусочек присохшего теста.

— А, это тесто. — Она хотела сковырнуть, но он схватил ее за руку.

— Всю жизнь обожал присохшее сырое тесто... — Он поднес ее руку к губам и зубами поскреб ребро ладони.

У Туси задрожали ноги и потемнело в глазах.

— Что вы делаете? — пролепетала она.

— Одну миллионную долю того, что хотел бы сделать...

Пошлость, почему-то мелькнуло у нее в голове. Однако эта мысль нисколько ее не отрезвила. Он не отпускал ее руку и теперь целовал в ладонь.

— Не надо, — взмолилась она. И тут же выдала себя, добавив: — Здесь же мастер...

Его глаза так загорелись, что она обмерла, чувствуя, что ее спасает только присутствие постороннего.

— Хозяева, принимайте работу!

Господи, что же теперь будет?

Незнакомец отпустил ее руку и вышел в коридор.

— Ну что ж, братец, все нормально. Спасибо!

«Братец», как ненатурально звучит... В этот момент хлопнула входная дверь.

— Отлично, Нина ничего не заметит. Идите посмотрите сами.

Она вышла в коридор. Дверь ванной комнаты была открыта, и новое зеркало от старого практически ничем не отличалось. Обычное зеркальное полотно без рамы.

— Здорово! Спасибо вам огромное. Сейчас я его еще протру, а то оно заляпанное...

— Успеется! — совсем охрипшим голосом произнес незнакомец.

Она обернулась, встретилась с ним глазами и тут же очутилась в его объятиях.

Когда туман стал рассеиваться, в памяти почему-то всплыла фраза, которую она слышала в детстве от дачной хозяйки в деревне Репихово, та говорила о своей непутевой дочке: «Каждому готова свою мандюшку предоставить!» Вот и я тоже, предоставила первому встречному... Но раскаяния она не ощущала. Ей было весело и в то же время жутковато. Я ведь даже не знаю, как его зовут.

И словно в ответ на ее мысль, раздался голос:

— Я даже не спросил, как тебя зовут.

От звуков этого голоса она опять задрожала и окончательно пришла в себя. Они лежали на ковре в большой комнате, вокруг валялись предметы их туалета. А Туся боялась взглянуть на новоявленного любовника.

— Туся, — ответила она. — А вообще-то Наталья Дмитриевна.

— Наталья Дмитриевна, ты самая восхитительная женщина на свете.

Он взял ее руку и поцеловал.

— А который час? Я что-то не вижу своих часов, — пробормотала Туся.

— Ты, вероятно, оставила их на кухне. Да посмотри же на меня!

Он силой повернул ее к себе. Она не могла спокойно видеть его лицо, терпеть его прикосновения. Я схожу с ума!

— Скоро может вернуться Нина! — вдруг вспомнила она и попыталась вырваться.

— Да нет, живи спокойно. Нина всегда и всюду опаздывает. К тому же я закрыл дверь на цепочку.

Он, наверное, принял меня или за блядь, на которой пробы негде ставить, или за нимфоманку — подумала она. Ну и пусть, мне все равно. Лишь бы был рядом...

— Я ничего не подумал... Я понял, что ты... что с тобой такое впервые.

— Вы что, читаете мысли?

— Нет, просто у меня было много женщин.

Ее обожгла ревность. И даже ненависть ко всем этим его женщинам, но тут же она сказала себе: я сдурела!

И вскочила, собрала свои вещички и ринулась в ванную. Наскоро приняв душ, она стала судорожно одеваться. Скорее бы он ушел. Хотя нет, он же пришел к Ниночке, хотел дождаться, наверное. Ну что ж, я неплохо скрасила ему часы ожидания!

Она побежала на кухню и сунула пирог в неразогретую духовку.

И тут появился он, уже одетый, слегка осунувшийся, но глаза, ярко-синие, блестели непереносимо. И зубы. И весь он был какой-то... нездешний, немосковский.

— Ты не дашь мне что-нибудь съесть, а то я так проголодался.

Она молча открыла холодильник.

— Туся, скажи мне, а ты кто Ниночке? Подруга или соседка?

— Невестка, — отозвалась она, не глядя на него.

— Какая невестка?

— Обычная. Сноха.

— Жена Алексея?

— Ну да.

— А... Я понял. Ну что ж, мне пора.

Слава богу, подумала Туся.

— А Ниночку ждать не будете? Она скоро уже...

— Нет, у меня больше нет времени.

— А что ей передать?

— Да ничего не передавай! Особенно учитывая то, что случилось...

Она подняла на него глаза и вдруг безумно испугалась, что никогда больше его не увидит.

Он опять словно понял ее мысли.

— Я найду тебя.

— Но Ниночка спросит, от кого цветы.

— Скажи: прислали, а кто — неизвестно.

— Но как вас зовут?

— Вспомнила! — улыбнулся он, подошел, поцеловал в лоб. — Меня зовут... Александр.

— Саша...

— Все, я ушел!

И он исчез.

— Ну ни фига себе! — вслух произнесла Туся.

Нина Михайловна вернулась со свидания сияющая, с букетом огромных чайных роз и с загадочной улыбкой.

— Тусечка, родная, прости, что я так задержалась!

Бросила тут тебя одну... О, да ты сколько успела! Ничего, я сейчас подключусь, только вот розы поставлю...

— Да собственно, я почти все сделала. Осталось только накрыть на стол и разложить все по тарелкам.

— А гусь?

— Я все подготовила, но сажать в духовку еще рано.

— Да нет, не рано, он долго жарится. Яблоки не забыла?

— Ну что вы! И картошку уже почистила.

— Ты у меня чистое золото! Слушай, а откуда эти цветы?

— Прислали.

— Кто?

— Не знаю. Посмотрите, может, там карточка есть.

— А ты не смотрела?

— Нет.

— Я бы, наверное, не удержалась, — засмеялась Нина Михайловна, внимательно оглядывая букет.

— Это естественно. Вы свекровь.

— Дурная кровь?

— Вот уж нет!

— Записки нет, наверное, какой-то поклонник. Во всяком случае, хотелось бы так думать.

— Мстислава Сергеевича вам мало?

— Ах боже мой, откуда я знаю... — зарделась Нина Михайловна. — Туська, ты только Лешке не рассказывай про эти дела. Не стоит.

— Даже не собираюсь.

— А то он еще скажет, что я плохо на тебя влияю.

С этими словами Нина Михайловна направилась прямиком в ванную комнату. Туся замерла.

— Туська, что ты сделала с зеркалом? Оно сверкает, как новое!

— Да ничего особенного, просто нашатырем протерла. А главное, там лампочка перегорела, я новую вкрутила. Стало светлее.

— А, поняла. Да, действительно.

«Слава тебе господи», — подумала Туся.

Глава третья

Немного нежности
Отнюдь не исключается.

Из песен Б. Абарова

Домой они возвращались на такси. Алексей выпил, расслабился, и Нина Михайловна категорически запретила ему садиться за руль. Обычно в таких случаях он садился рядом с шофером, но сегодня сел с Тусей сзади и сразу полез обниматься.

— Лешка, пусти, с ума, что ли, сошел? — шептала она.

— Да, сошел. Ты сегодня такая... только спятить, — жарко шептал он в ответ. — Видела, как Натан Моисеевич на тебя смотрел? И Степка тоже.

— Глупости!

— Ничего не глупости. Ты у меня самая красивая... Я так хочу...

— Лешка, прекрати! — рассердилась она. — Потерпи до дома!

— Легко сказать!

А она не хотела. Боялась. Боялась сравнения не в пользу мужа. Боялась выдать себя.

Но, как говорится, не было бы счастья, да несчастье помогло. Едва они вошли в квартиру, как раздался телефонный звонок.

— Алло! — рявкнул в трубку Алексей, но тут же осекся. — Да, да, понимаю. Сейчас, да, конечно!

— Кто? — одними губами спросила она.

— Да, разумеется, я сейчас буду. Ох, черт, я же без машины! Хорошо, жду!

— Что случилось?

— Черт знает что... Убили Гуркову.

— Как? Как убили? Почему? Кто?

— Откуда я знаю? Василиса ее нашла... Вызвала милицию и сразу дико испугалась, что ее обвинят... Мне звонил Никита. Надо туда поехать. Он сейчас меня заберет, и мы вместе... Девка в истерике бьется... Надо проследить, чтоб менты не очень лютовали, ну сама понимаешь...

Тут же в памяти всплыло разбитое зеркало. Неужто Алексею грозит опасность?

— Я с тобой!

— Это еще зачем?

— Я женщина, а Василиса там одна с кучей мужиков. Я могу пригодиться!

— Ладно, может, ты и права. Черт, плохо, что я пьяный...

И тут опять зазвонил телефон.

— Алло! — закричал Алексей. — Да? Ну слава богу. И на том спасибо. Уже легче.

— Что? Гуркова жива?

— Да нет, но Василису отпустили. Как говорится, баба с возу... Так что тебе там делать нечего.

— Лешка, ты хоть жвачку пожуй!

— Да при чем тут это! Я что, не имею права выпить в день рождения матери? — вдруг заорал он.

— Да имеешь, имеешь. Но я все равно поеду с тобой.

— Никуда ты не поедешь! Сиди дома, охота на труп посмотреть, никогда трупов не видела?

— Ты что, спятил?

— Спятишь тут! Сколько я говорил этой идиотке, чтобы не вязалась с криминалом, вот и допрыгалась...

Лена Гуркова работала в газете, главным редактором которой полтора года назад стал Алексей.

— А может, это не криминал? Может, ее убили из ревности?

— Из ревности? Ты с ума сошла. Ты ее морду видела?

— Морда ничего не значит...

— Ради бога, заткнись! У меня и так неприятностей полно, а теперь еще и это... Черт знает что...

— А тебе ее что, не жалко?

— Жалко, конечно, что за чушь! Но ей уже не поможешь...

Опять зазвонил телефон.

— Иду!

И, не простившись с женой, он выскочил на лестницу.

Туся никогда не видела Лену Гуркову, знала только, что она была талантлива и очень неуживчива. В редакции из-за ее дурного характера часто возникали конфликты, и однажды Алексей даже уволил ее, но, остыв, передумал. У нее было талантливое, острое перо. Туся от души жалела ее. И боялась за Алексея. Хорошо еще, что Никита с ним. На Никиту можно положиться. Он преданный друг и соратник. Господи, почему все-таки разбилось зеркало? Может, не стоит верить в приметы? Сколько раз я не обращала внимания на черных кошек, и ничего плохого не случалось. Мало ли почему разбилось зеркало... Что-то где-то в доме сотряслось, а крепление давно ослабло... Или что-то еще... Но какое счастье, что незнакомец подвернулся... Да уж, он, видно, нигде не теряется. Тело помимо воли наполнилось теплом. Она опустилась в кресло. И тут вдруг у нее мелькнула мысль: я что, переспала с любовником свекрови? Похоже на то... Он испугался, когда узнал, что я ее невестка... Или он просто друг? Тогда чего ему пугаться? Хотя все равно некрасиво с его стороны... Но что это было? Наваждение? Нет, это даже и вообразить себе невозможно... В каком-то старом фильме было нечто похожее. А, «Последнее танго в Париже». Там Марлон Брандо и Мария Шнайдер оказались вдвоем в пустой чужой квартире. Они не были знакомы, и их тоже бросило друг к другу... Правда, та история плохо кончилась. Героиня в конце концов убила героя. Но там была история, а тут никакой истории не предвидится. Жаль, с ним было так невероятно хорошо... Как никогда и ни с кем... А Лешка прав, я тоже заметила, как на меня смотрели сегодня все мужики... Но я так устала... Нет сил даже раздеться... И мне совсем, ни капельки не стыдно... Странно... Однако не стыдно, и все тут! Это же не измена... Это так... Эпизод. Волшебный, волнующий, упоительный, но эпизод...

Она заснула, прикорнув на диване, не раздеваясь. И снилось ей что-то такое приятное...

— Тусь, ты что тут спишь? Вставай, смотри, что я принес! — сквозь дрему донесся до нее голос мужа. Но открывать глаза не хотелось, потому что сейчас он расскажет ей, как убили Лену, что там творилось и...

Но вдруг ее лица коснулось что-то мягкое, словно кисточкой мазнули по щеке. Она открыла глаза. Над ней стоял муж и держал в руке котенка. Совсем маленького. Она вскочила.

— Туська, смотри, какой он милый. Я не мог его бросить.

— Лешик, какое чудо!

— Соседка сказала, что Ленка его купила за бешеные бабки. На, держи! Нравится?

Котенок был невероятный. Светло-палевый в аккуратную коричневую полоску, пушистенький, а ушки не торчали, как у обычных котят, а слегка свисали, так что головка казалась совсем круглой. Но главное, что у него были большие и горестные глаза. Казалось, он пережил трагедию и теперь нес на себе ее груз. Туся прижала его к груди, поцеловала в лобик.

— Его надо покормить, я сейчас! — Она бросилась в кухню, налила в блюдце молока, посадила котенка рядом с блюдцем, но он не стал лакать, а посмотрел на нее невозможными голубоватыми детскими глазами, в которых читалось неподдельное горе. — Леш, ну что там?

— Как ни дико, но это убийство на почве ревности. Видно, Ленка связалась с полным психом, он ее и пристукнул.

— Откуда это известно?

— А он сам явился...

— В милицию?

— Да нет, на место преступления. Увидел ментов и признался.

— Его арестовали?

— А что с ним еще делать?

— Но если он псих...

— Ну, вообще-то пока это мое предположение.

— А к кому он ее приревновал?

— Понятия не имею.

— А как котенка зовут, ты не спросил?

— Нет. Не до того было. Но он такой славный, давай назовем его Славой.

— Да ну... Мне не нравится. И потом, ты уверен, что это мальчик?

— Да, соседка там долго тарахтела по поводу одинокого животного и называла его мальчиком. Он, кстати, жутко породистый. Бедная Ленка...

— Да уж... Лешка, ты голодный?

— Да ты что. Мне выпить надо.

— Леш, он молока не хочет...

— Давай назовем его на букву М.

— Почему?

— Видишь, у него на лобике буква М.

— Правда... Ишь какой милый.

Алексей взял котенка, посадил на ладонь.

— Знаешь, у наших соседей когда-то был кот. Его звали Мамзик. Давай его тоже назовем Мамзиком.

— Нет, мне не нравится.

— А по-моему, ему идет. Мамзик, а Мамзик?

Котенок вдруг вздохнул и свернулся калачиком прямо на ладони Алексея.

— Смотри, ему понравилось быть Мамзиком! — засмеялась Туся.

Алексей осторожно переложил котенка на диванную подушку.

— Ох, ну и ночка! Устал как собака, а поспать не удастся. Надо сделать заметку об этом убийстве, рассказать, как было, а не то поднимется шум. Начнут орать о политическом убийстве или еще о чем-то, а это обычная бытовуха. Бедная Ленка, такая способная, а жила так нелепо... Видела бы ты ее логово... Бомжатник, можно сказать. И вот еще котенка за четыреста баксов купила...

— Наверное, от одиночества...

— Но как выяснилось, у нее был мужик...

— А разве мужик спасение от одиночества?

Но Алексей уже не слышал этой фразы, он заснул, сидя на диване.

Туся сняла с него тапки, накрыла пледом. Пусть поспит так, не стоит его будить, а то он больше не заснет. Она взяла котенка и ушла в спальню.

— Мамзик, как ты думаешь, почему мне совсем не стыдно, а?

И тут ей стало стыдно, но не из-за внезапной близости с незнакомцем, а из-за того, что убили человека, случилась настоящая трагедия, а она все думает о том мужике. Господи, неужто я никогда больше с ним не встречусь?

Опасения Алексея подтвердились. В прессе поднялся шум. Многие знали Лену и просто не хотели верить в убийство на почве ревности. Алексея донимали вопросами, требовали интервью, кто-то уличал его во лжи, кто-то припомнил ему попытку увольнения Лены, а кто-то даже договорился до того, что именно он заказал ее. И хотя абсурдность этого обвинения была всем очевидна, но нервов все это стоило немалых. Алексей был раздражен, зол и почти не бывал дома. А Туся, привычная к его весьма нервной работе, боялась только, как бы Алексей не перенес свое раздражение на котенка, которого она полюбила с неистовой страстью. Никогда раньше она не интересовалась кошками, была к ним вполне равнодушна, хотя еще в хореографическом училище танцевала кошку в каком-то детском балете и ее хвалили. Но сейчас она просыпалась и засыпала с заботой о нем. Где он, чем его накормить, не холодно ли ему. Она даже разговаривала с ним, а он смотрел на нее круглыми горестными глазами, с каждым днем терявшими детскую голубизну. Он полюбил сидеть у нее на плече, а стоило ей сделать неосторожное движение, как он вцеплялся ей в кожу, чтобы не свалиться. Плечо было все в мелких царапинах, а она только умилялась. Однажды соседка, увидев, как Мамзик пристроился у нее на плече, резонно заметила:

— Туся, а что будет, когда он вырастет? Он же вымахает в здоровенного котяру. Ты не сможешь его таскать так, а он ведь привыкнет.

— Ничего, выдержу, своя ноша не тянет, — с глуповато-блаженной улыбкой отвечала Туся.

— Туська, я приехала! — возвестила по телефону подруга Аля. — Срочно нужно повидаться, есть важнючий разговор! И вообще, я соскучилась. Новости есть?

— Да, есть!

— Когда увидимся?

— Да хоть сейчас! Приезжай!

— А Лешка на работе?

— Спрашиваешь! Я его почти не вижу, тут такая история...

— Хорошо, через час буду! — весьма деловито заявила Алька.

Слава богу! — обрадовалась Туся. Алька, наверное, единственный человек на свете, которому можно рассказать о таинственном незнакомце. Она поймет, не осудит, ей это даже понравится... Она немного авантюристка. И похоже, сейчас готова пуститься в новую авантюру...

Подруги давно не виделись. Аля с мужем жила полгода в Марокко. У него там был какой-то бизнес.

— Тусенька, родненькая! Привет, как же я соскучилась!

— Алька, тебя не узнать, так загорела! Просто арабка стала! Но тебе идет! Ой, я тоже так соскучилась!

— Господи, что это у тебя тут ходит?

— Не что, а кто! Это мой Мамзик.

— А что у него с ушами?

— Порода такая. Скотиш-фолд называется.

— Породистый? Небось купила за бешеные деньги? Лучше бы уличного подобрала... Благороднее!

— Ну, этого мы, в общем, тоже подобрали... — Туся в двух словах рассказала историю появления в их доме Мамзика.

— Это дело другое. Это я одобряю! Слушай, у тебя селедки нет? Я так хочу селедки?

— Беременная?

— Еще не хватало! Просто не ела ее давно. Там есть селедка, но не такая... Фу! Ой, Туська, я тут тебе подарок привезла, гляди, красота какая!

И она жестом фокусника вытащила из пакета кусок какой-то полупрозрачной дымно-лиловой ткани, на поверку оказавшейся огромным восточным платком.

— Как красиво! Там это носят?

— Конечно! Я с трудом нашла без блесток и всякой мишуры, знаю, ты не любишь. Слушай, тебе идет! Из этого на тебя даже платье выйдет. Ты же сама можешь сшить...

— Ох, я уж и не помню, когда шила...

— Подруга, у меня к тебе очень-очень важное дело!

— Слушаю тебя!

— Я решила уйти от Владьки.

— С чего это?

— Надоел!

— А к кому-то или так?

— Так.

— И чем я могу помочь?

— Многим, подруга, многим. Понимаешь, я не хочу в никуда. А он мне, конечно, ничего не даст. И единственное, что у меня есть, — это полразвалюхи под Тулой. Во второй половине живет мой дядька. Он золотой мужик, но жить там — это смертушка.

Туся недоумевала, чего от нее ждет подруга.

— Короче, я задумала одно дело... Рассказывать о нем никому не хочу, только тебе.

— Надеюсь, ты не собираешься... заказать Владика?

— Это было бы самое лучшее, но, к сожалению, я напичкана всякими моральными принципами и устоями. Я пока от него даже не уйду. Но буду готовить себе условия...

— Что? — не поняла Туся.

— Я хочу, чтобы мне было куда и с чем уйти. Ради этого я готова потерпеть годик-другой.

— Но я-то что могу?

— Ты можешь стать моим компаньоном. Кстати, в твоей ситуации я бы тоже не сидела сложа руки.

— То есть?

— А вдруг у Лешки заведется какая-нибудь молодая? Или вообще он тебе надоест или ты ему? Я же знаю, ты уйдешь с пустыми руками. Но у тебя хотя бы есть квартирка. Разве такое можно исключить?

— Нельзя, — грустно покачала головой Туся.

— Ну так вот, я предлагаю начать свое дело...

— Какое дело? — вытаращила глаза Туся.

— Бизнес, тебе так понятнее?

— Какой бизнес? Мы ж ничего не умеем!

— Не боги абажуры шьют!

— Это что, новое выражение?

— Нет. Я хочу делать абажуры. Понимаешь, я все думала, думала, что бы мне подошло, только потому и выдержала в Марокко.

— Терпеть не могу марокканские мандарины... — задумчиво проговорила Туся.

— Узнаю любимую подругу! Вечно что-то ляпнешь невпопад! Хрен с ними, с мандаринами. Так вот, я, вернувшись оттуда, поехала к дядьке под Тулу. Стала разбираться на своей половине и вдруг нашла два старых абажура, собственно, просто два каркаса. И меня как что-то стукнуло. Я повертела их, покрутила и попробовала что-то с ними сделать. Нашла старый платок, каркас бинтом обмотала... Короче, получился абажур. Кривенький, конечно, косенький, но сил нет, какой красивый!

— Ты ненормальная, Алька! Кому сейчас нужны эти самоделки? И что на них можно заработать?

— То-то и оно, что можно, особенно с твоими руками... Я поговорила с одним знакомым, у него мебельный салон. И он сказал, что, если это будет аккуратно сделано, он попробует выставить абажур на продажу...

— Один абажур?

— Лиха беда начало! Я, например, помню: у моей тетки была старинная лампа, дорогущая, антикварная, но без абажура. Она эту лампу в шкафу держала. А потом случайно нашла на помойке каркас, и ей ее шляпница обтянула его шелковым платком, который тетка из загранки привезла.

— Так это еще до перестройки было, тогда ничего нельзя было купить, а сейчас...

— Сейчас, конечно, многое можно купить, но не все... Туська, ну давай попробуем!

— Попробовать можно, но заработать на квартиру — это вряд ли...

— Ты ничего не понимаешь! Мы ж не с улицы придем! Жоржик поможет, посодействует... Снимут наши абажуры для какого-нибудь журнала, для «Табурета» например... И вскоре станет престижно заказывать абажуры у нас.

Туся смотрела на подругу с изумлением, но малопомалу Алькин энтузиазм стал передаваться и ей.

— Попробовать можно! Чем черт не шутит!

— Твоя квартира свободна?

— Нет, мы ее сдаем.

— Жалко, там можно было бы устроить мастерскую. А дядя Валя будет делать нам любые каркасы. У него проволоки полный сарай. Натаскал в свое время отходов производства. А руки у него золотые.

— Это что же, за каждым абажуром в Тулу ездить?

— Зачем? Наберем заказов, сделаем чертежи и отвезем.

— Аль, ты в своем уме вообще-то? Наберем заказов... Да это же только мечты...

— Пока! Пока мечты. Но я убеждена, что они воплотятся в жизнь! Ну давай попробуем, по крайней мере... Кстати, Лешка может нам протекцию оказать. Статейку какую-никакую тиснет, фотографию... Связи у него тоже будь здоров!

Они еще долго обсуждали безумную Алькину затею. И вдруг кто-то ей позвонил. Ответив, она просияла так, что Туся решила, что звонит по меньшей мере страстно любимый мужчина.

— Туська, это невероятно! Но звонил Егор!

— Какой Егор?

— Ну тот мужик, хозяин салона, Жоржик! Ему в руки попала лампа карельской березы с черным деревом. И без абажура! Он вспомнил обо мне и сказал, чтобы я срочно приехала и посмотрела! Если у нас получится...

Они взлетели на обледенелое крыльцо мебельного салона, с трудом удержавшись на ногах.

— А почему вывески нет?

— На хрена ему вывеска? — Аля нашла кнопку звонка. — К нему клиентура с улицы не ходит.

— Кто? — раздался голос из решеточки со звонком.

— Жорка, свои!

Дверь открылась, и они спустились в полуподвал по устланной ковром лестнице. Там все оказалось очень шикарно. Навстречу им, раскинув приветственно руки, шел мужчина лет сорока. Длинные шелковистые волосы, тонкое лицо, бархатная блуза винного цвета и красиво повязанный пестрый шелковый шарф. При виде Туси он замер.

— Боже мой, кто это? — Он восторженно закатил глаза.

Туся смутилась.

— Это моя подруга и компаньонка, Наталья Челышева!

— Она что, балерина?

— Бывшая. У нее золотые руки! Показывай давай лампу! А то у нас еще одна деловая встреча!

Жоржик весьма скептически улыбнулся.

— Туся, это Жоржик, — спохватилась Аля.

— Не Жоржик, а Егор, — строго поправил ее хозяин салона. — И вообще, забудь ты это детское прозвище. Я Егор!

— Егор? Ну фиг с тобой, Егорушка! Показывай товар!

— Идемте ко мне!

Он завел их в маленький кабинет, тоже весьма изысканно обставленный. И достал из шкафа лампу.

— Вот! Это, конечно, не бог весть какая старина, но все-таки, вероятно, начало двадцатого века. Видите, какой лаконизм, скупость выразительных средств и в то же время элегантность. Потянете?

Лампа представляла собой довольно высокий

столбик из потемневшей от времени карельской березы, стоявший на почти плоской пирамиде, по периметру украшенной скромным узором из черного дерева.

— Ну как?

— Красотища! — воскликнула Аля.

— А вы что скажете, фея?

Туся зарделась.

— Надо подумать! — пролепетала она.

— И сколько вам надо на думанье?

— Ну, недельку...

— Недельку на думанье, а на работу?

— Еще недельку! — заявила Аля. — Короче, две недели.

— Не быстро!

— Ну, это для начала...

— Ладно, пусть. Сделаете раньше — хорошо, а если опоздаете... Да, кстати, с вас двести баксов.

— За что? — ахнула Аля.

— В залог. Лампа ведь денег стоит. А вдруг вы ее сломаете или потеряете? Я, конечно, беру с вас куда меньше ее истинной стоимости — просто по старой дружбе.

Женщины переглянулись и одновременно полезли в сумки.

— Татьяна, упакуй! — крикнул Егор, принимая деньги. — Девочки, не обижайтесь. Бизнес есть бизнес.

— Хорошо. Тогда ты выдай нам расписку.

— Расписку? Какую расписку? — безмерно удивился Егор.

— Обычную, что ты взял у нас в долг двести долларов.

— Побойся Бога, Аля!

— Да при чем тут Бог? Ты с нас залог берешь. А вдруг ты при расчете про эти бабки забудешь? Так мы напомним. И вообще я не дам себя объегорить!

Туся фыркнула, а за дверью раздался смех.

— Я тебя когда-нибудь объегоривал? — побагровел он.

— Нет, но раньше ты и Егором не был.

— Черт с тобой!

И он написал две расписки, каждую на сто долларов.

— Вот и славно. Деловые отношения не терпят сантиментов! — заявила Аля, складывая расписку.

Тут им принесли аккуратно упакованную лампу, они попрощались и ушли.

— Черт, неужели нельзя в нашем климате делать ступени из чего-то менее скользкого?

— Или хоть положить что-то на крыльце, коврик какой-нибудь, — поддержала подругу Туся. — На каблуках вообще жуть!

Наконец они добрались до Алиной машины. Осторожно положили лампу на заднее сиденье.

— Ну, подруга, по-моему, этот заказ надо обмыть!

— Не рано?

— В самый раз!

— Поехали ко мне!

— А у тебя есть что-нибудь вкусненькое?

— Найду!

— А Лешка не явится поломать нам кайф?

— Нет, он поздно возвращается.

Глава четвертая

> Человечество — странная штука.
>
> *Из песен Б. Абарова*

Они сидели на кухне, и Аля рассказывала подруге, как она устала от семейной жизни, как надоел ей муж и как она рада, что у них нет детей.

— Как подумаю, что ребенок был бы похож на этого кретина...

— Слушай, что ты на него взъелась? Совсем он не кретин, твой Влад. Очень даже умный и ушлый.

— Не могу... Обрыд он мне... Больше всего зависимость от него обрыдла. А уж в постели как он мне осточертел. — Она вдруг затянула дурным голосом: — Любимый Владик может спать спокойно, обрыдший х..., мохнатый зад, дурацкий взгляд!

Туся фыркнула.

— Ну завела бы себе любовника, и дело с концом.

— Пробовала.

— И что?

— Не помогает. Туська, а как у тебя с этим делом?

— Нормально, — ответила Туся, она не умела говорить на такие темы. Но держать свою тайну всегда при себе тоже было невыносимо. И она рассказала подруге все.

— Ты молодчина, Туська, я от тебя не ожидала! Вот прямо с порога и дала?

— Прямо с порога, — тяжело вздохнула Туся.

— Что, вот сразу так захотелось?

— Не помню. Просто я вдруг поняла, что не могу иначе...

— Кайф! А тебе понравилось?

— Не то слово!

— А если б опять с ним встретилась?

— Даже думать боюсь!

— Ты о нем вспоминаешь?

— Да. Очень часто.

— И что?

— Голова кругом идет. И ноги дрожат. И живот начинает болеть... — хриплым шепотом призналась Туся. — Но больше всего меня мучает мысль, что он Ниночкин любовник. Он так испугался, когда узнал, что я ее невестка.

— А ты пробовала ее о нем расспросить?

— Ну что ты! Я боялась себя выдать!

— А какой он?

— В каком смысле?

— Ну рост, цвет глаз, возраст?

— Лет пятьдесят, наверное, крупный, волосы с проседью. Смуглый, глаза синие.

— Красивый?

— Я не знаю... Мне кажется, что я могла бы и не узнать его на улице... И я даже не знаю, как его зовут... Он сказал, что Саша, но, по-моему, соврал с перепугу.

— Знаешь, ты лучше выкинь его из головы.

— Стараюсь, пока не выходит.

— Он лучше, чем Митчел?

— В сто тысяч раз! — твердо заявила Туся. — Кажется, Лешка идет.

— О, девушки, вы тут что, пьянствуете вдвоем? Привет, Алька!

— Привет, Леха!

— Давно вернулись? А Влад где?

— В Караганде! — буркнула Аля.

— Поссорились?

— Да нет, я так...

— Сидите тут небось и косточки нам с Владом, перемываете?

— Очень нужно! У нас темы поинтереснее есть, — передернула плечами Аля.

— Я помешал?

— Да ты что, Лешик! Есть хочешь? — засуетилась Туся.

— Нет, я поел.

— Где?

— В редакции, где же еще. Пойду поработаю. Не буду вам мешать.

Он ушел.

— Придется сменить тему, — с сожалением прошептала Аля, — а то увлечемся, а он подслушает...

После рассказа о незнакомце Тусе нисколько не стало легче. Даже наоборот. Все вспомнилось так ярко и живо, что хоть на стенку лезь. Но тут позвонила свекровь и таинственным шепотом сообщила, что традиционная встреча Нового года отменяется.

— Мы с Мстиславом Сергеевичем решили на Новый год съездить в Ригу. У нас обоих столько связано с этим городом...

— Здорово! — довольно вяло отозвалась невестка.

— Ты чего куксишься? Опять эта сучонка звонила?

— Да нет, она больше не звонит. Я просто устала.
— А Лешка дома?
— Да, работает. Позвать?
— Не стоит. Тусь, а вы где будете встречать?
— Еще не думала. Я ж только что узнала...

— Тусечка, милая, не обижайся! Но в моем возрасте пренебречь такой возможностью было бы глупо...

— Да боже сохрани! Не беспокойтесь, что-нибудь сообразим, а лучше всего вдвоем встретить, дома... — Ей вдруг показалось это заманчивым.

— Вдвоем — это прекрасная мысль. Это освежает чувства, это так романтично. И Лешка по крайней мере не напьется...

— Нина Михайловна, побойтесь Бога, он очень редко напивается! — вступилась она за мужа. — У меня только вопрос: вы сами Лешке скажете, что уезжаете?

— Скажу, в чем проблема? Мы не вмешиваемся в личную жизнь друг друга. Вот что, позови его, чтоб он потом не упрекал меня, что я его не предупредила...

— Это хорошая мысль! Леша, тебя мама!

— Иду!

Она ушла в спальню, а Алексей довольно долго беседовал с матерью.

— Как тебе это нравится? — возник он на пороге. — Ну мать, сильна старушка!

— С ума сошел? Какая ж она старушка!

— Да вообще-то нет, но для таких штучек все-таки явно устарела. Но я даже восхищаюсь... А что с Новым годом-то делать будем? Куда двинем?

— А давай вдвоем встретим, дома? Хоть не устанем до полусмерти, а?

— Вдвоем? — без особого энтузиазма отозвался муж. — Можно!

У нее оборвалось сердце. Он не хочет... Ему скучно вдвоем со старой кошелкой...

— Если у тебя есть другие идеи, я готова их рассмотреть.

— Никиту можно позвать с девушкой... Или заказать столик где-нибудь.

— А если уехать куда-то?

— Да ты что! А новогодний номер? Я должен все видеть сам. А то под праздник сотруднички такого наваляют... О работе уже никто не думает!

— Ладно, я готова просто лечь спать.

— Ты обиделась? — насторожился он.

— Ничего я не обиделась. Просто мои предложения ты отвергаешь, а сам ничего предложить не можешь. Поэтому закрываем тему. Спокойной ночи, я устала.

Она легла, завернувшись в одеяло, и потушила ночник, в полной уверенности, что сейчас он будет просить прощения, целовать и обнимать ее, но он просто сказал: «Ага, спи!» — и вышел из спальни. У него кто-то есть. Я ему уже не интересна... всхлипнула она. Но и у меня кто-то есть... Сейчас ей показалось, что незнакомец обязательно найдет ее, как обещал. И для него я вовсе не старая кошелка. И не калоша. И вряд ли он в таком возрасте кидается на всех встречных женщин. Но он явно знает в них толк, а я произвела на него впечатление... Черт побери, я с молодым мужем забыла, что умела производить впечатление и не на таких... И пусть Митчел Мак-Лейн не бог весть какой любовник, вернее, даже совсем никакой, да и человек не ахти, но все равно он звезда, настоящая голливудская звезда... И влюбился в меня с первого взгляда и добивался долго... Лешка тоже долго добивался. А этот просто руку протянул... Нет, как вовремя появилась Алька со своей идеей подготовки запасного аэродрома...

Чтобы поддерживать себя в форме, Алексей дважды в неделю ходил в бассейн. До работы.

— Леш, я хочу сегодня к Реджинальдовне съездить.

— Съезди, в чем проблема?

— Да ни в чем! Ты меня до метро подбрось, ладно?

— Подброшу, не вопрос. Только ты будь готова минут через двадцать, а то я опоздаю. А чего это ты в такую рань к ней собралась?

— Да пока доеду... И от станции еще идти. Да и возвращаться в темноте неохота.

— Тоже правильно. Да, кстати, я вчера с Никитой говорил насчет Нового года.

— И что?

— Он приглашает к ним на дачу. По-моему, неплохо за городом встретить, а?

— Как хочешь...

— Значит, решено!

Она ничего не ответила. От обиды внутри все заболело. А я ведь с самого начала это предвидела. Я не хотела выходить за него... Я ждала и вот дождалась. Он ко мне равнодушен, ему плевать на меня и мои жалкие попытки что-то вернуть. Ну да ничего. У меня есть своя квартира. Ей стало нестерпимо жалко новой квартиры, в устройство которой она вложила всю душу... Ну и черт с ней, я теперь многое знаю и умею. Сделаю себе маленькое уютное гнездышко, где мы с Мамзиком будем жить. Лешка деньги за квартиру благородно не брал, говорил, что это на черный день. Можно считать, что он для меня настал. И я буду делать абажуры. А мне ведь, в сущности, немного надо. Я прекрасно шью, тряпок у меня кучи, я долго продержусь... И я еще не такая старая, я найду себе мужчину...

— Леш, знаешь, я не успею, я сама доберусь, ты езжай!

— А? Что? Ладно. Извини, не могу ждать!

Ей не хотелось садиться с ним в машину.

Татьяна Реджинальдовна дружила еще с Тусиной бабушкой. Ей шел уже девятый десяток, но об этом нельзя было догадаться. Подтянутая, аккуратная, с прямой спиной. Она постоянно жила за городом вдвоем с домработницей Антониной Панкратовной. Сын Татьяны Реджинальдовны, крупный финансист, когда-то в молодые годы ухаживал за Тусиной матерью. Туся бывала у старухи нечасто, но очень ее любила. И знала, что ей всегда будут рады. Татьяна Реджинальдовна отличалась тем, что хранила в больших тяжелых сундуках массу шикарных вечерних платьев и театральных костюмов. В свое время она пела в знаменитой Свердловской оперетте, была красавицей и сердцеедкой. И обожала, рассказывая что-то о своей бурной молодости, подкрепить рассказ «наглядным пособием», как называла это Туся.

— Антоша! Достань мое черное с перьями! — говорила она Антонине Панкратовне, и та с превеликой охотой кидалась к сундукам. Когда Туся завела роман с Мак-Лейном, ей нечего было надеть на грандиозную тусовку в Кремле, куда он ее пригласил, а сшить платье было не из чего, она обратилась к Татьяне Реджинальдовне, и та открыла перед ней свои сундуки. С каким азартом старая женщина выбирала для нее туалет! Они даже чуть не поругались. Татьяна требовала, чтобы она взяла синее в блестках платье, а Туся буквально вцепилась в черное с украшениями из страусовых перьев. Перья, правда, выглядели весьма непрезентабельно, но зато сохранилось боа, на удивление хорошо выглядевшее.

— И что, ты хочешь пустить это боа на платье? — испугалась сначала Татьяна Реджинальдовна.

— Ну да, а то что же, скоро и оно превратится в такую же рухлядь, — поддержала Тусю Антонина Панкратовна. — А так платье будет как новое.

— Ладно, бери!

— Вы не думайте, я платье верну!

— Разумеется, вернешь!

— Татьяна Ренальдовна, ну на кой оно тебе? —

вмешалась Панкратовна («джи» она всегда пропускала). — Пусть у девки останется. Ей хороводиться надо, а тебе куда? В могилу заберешь?

— Но это память...

— Пока память в голове есть, и так помнишь, а как склероз-то все выест, так все равно не вспомнишь.

— Пожалуй, ты права, Антоша. Бери, деточка, только обязательно покажись мне в нем!

И вот теперь Туся рассчитывала, что Татьяна Реджинальдовна отдаст ей одну юбку, подол которой был украшен несколькими рядами бронзовой бахромы. В этой юбке Татьяна Лавринская пела когда-то Нинон в «Фиалке Монмартра». Карамболина-Карамболетта! Туся уже видела эту бахрому на золотистом шелковом абажуре к лампе из карельской березы.

Как хорошо за городом! В Москве грязь и слякоть, а тут все бело. Подходя к даче, она вдруг испугалась. Уже месяца два она не навещала старуху, а в таком возрасте всякое может случиться. Но, с другой стороны, ей бы кто-нибудь позвонил... Телефона на даче не было, Татьяна почему-то не желала его проводить. Правда, сын купил ей мобильник, но она отказывалась им пользоваться и практически никогда не включала.

— Если у меня будет телефон, ты никогда не выберешься к матери, да и другие тоже, — говорила она сыну, — а так я по крайней мере точно знаю, кому до меня есть дело. А если придет пора помирать, Антошка к соседям сбегает позвонить.

Туся подошла к калитке. Снег расчищен, на

крыльце сидит мохнатый Бонька и никак не реаги-
рует на появление гостьи.

— Бонечка! — крикнула Туся.

Пес встрепенулся и довольно лениво потрусил
навстречу.

— Совсем старый стал, уже и не лаешь?

Он ткнулся носом ей в колени, завилял хвостом.

Вот тут мне хорошо, тут я чувствую себя просто
девочкой. Она поднялась на крыльцо, смахнула ве-
ничком снег с ботинок и позвонила.

Дверь открыли быстро.

— Антонина Панкратовна, здравствуйте!

— О, Туся приехала! Заходи, заходи, Татьяна рада
будет, на днях тебя поминала!

Они расцеловались.

— Я вот тут пастилы свежей привезла...

— Умничка, а то Сергей Леонидович всегда за-
бывает.

— Антоша, кто там пришел? — раздался звонкий
голос хозяйки дома.

— Туся пожаловала!

Татьяна Реджинальдовна поспешила навстречу
гостье.

— Деточка, как я рада! Давненько ты не была!

Тусе стало стыдно, что вспомнила о старухе
только из-за бахромы, и поняла, что просто не сможет в этот раз попросить о чем-то.

Старуха выглядела великолепно.

— Татьяна Реджинальдовна, да вы просто цве-
тете!

— Спасибо, детка. А вот у тебя вид что-то уны-
лый. С муженьком проблемы?

— Да как вам сказать...

— Скажи как есть.

— Хочу уйти от него.

Хозяйка дома звонко, молодо рассмеялась.

— У меня такое впечатление, что эта мысль сидит в твоей прелестной головке чуть ли не со свадьбы и лишь теперь ты ее, как нынче выражаются, «озвучила»? Кстати, я смотрю телевизор и прихожу в ужас, как теперь говорят! Чему учат детей? Что это такое «будем лопать пузырями»? Я в первый раз ушам своим не поверила! Выходит, все нынешние дети усвоят этот кошмар? Ты голодна, Туся?

— Нет, пока не голодна.

— А ты надолго?

— Не очень. Хочу вернуться засветло.

— Ты на электричке?

— Конечно.

— Знаешь, когда я была молодая, у нас собирались ставить одну оперетту местных авторов, где я играла роль девушки, мечтой которой было что бы ты подумала?

— Понятия не имею! — улыбнулась Туся.

— Она мечтала стать машинистом на паровозе! И я пела там такую арию: «На паровозе-возе-возе, возе-возе, умчусь я завтра в сверкающую даль!»

— И умчались? — рассмеялась Туся.

— Да нет, там дальше говорилось: «Жила я раньше в родном колхозе, а нынче прошлого ничуточки не жаль!» Но кто-то в горотделе культуре смекнул, что этой арией мы призываем мчаться вдаль от родного колхоза, что было несвоевременно и все в таком духе.

— Что, спектакль сняли?

— К счастью, да, сняли, даже до генеральной. Восторгу нашему не было предела. А поскольку премьера нового спектакля была в плане, пришлось срочно восстанавливать «Фиалку Монмартра».

Юбка с бахромой, вспомнила Туся. Но у нее не повернулся язык.

— Ах, как я любила этот спектакль! Карамболина-Карамболетта! Это был мой коронный номер! Как я танцевала! Помню, перед премьерой у меня начались всякие страхи, кураж пропал, и вдруг мне мой партнер говорит (а он меня безумно любил): «Танечка, ты не бойся, просто как выйдешь на сцену, вспомни, что ты поешь «Карамболину» вместо «На паровозе-возе», и такой у тебя кураж появится! И ведь гениальный совет оказался. Я с таким огоньком это спела и станцевала, что публика едва не разнесла театр! Ну, разумеется, любовь к партнеру тоже свое дело сделала. Тогда о сексуальности и думать нельзя было, да мы и слов таких не знали, но суть-то от этого не меняется, а в оперетте еще можно было и юбками взмахнуть, и ножки показать... Антоша, принеси-ка юбку Нинон!

Туся замерла.

— Ой, Татьяна Ренальдовна, да ты ей эту юбку сколько раз показывала!

— Ничего, я сама посмотреть хочу!

— Ох, грехи наши тяжкие, о душе думать пора, а она все вспоминает, как ноги задирала! — проворчала Антоша.

— Она такая ворчунья стала, стареет, видно, а сама еще молодка, всего семьдесят пять! Так о чем это мы? — блестя глазами, спросила старая актриса.

— О «Фиалке Монмартра».

— Да нет, голубка моя, не о «Фиалке». Думаешь, у меня маразм? Ты сказала, что хочешь от мужа уйти?

— Да.

— Загулял?

— Не то чтобы...

— Подозрения появились?

— Да я не знаю... Просто мне кажется, что он меня больше не любит.

— А ты сама-то любишь его?

— Татьяна Реджинальдовна, я вам давно еще говорила, что меня мучает разница в возрасте, и чем дальше, тем хуже будет. Может, я все себе и придумываю, но... Не хочу оказаться брошенной ради молодой девчонки. Мне вот одно дело предложили... Попробовать хочу.

Тут появилась Антоша с пакетом в руках.

— На вот, Ренальдовна, держи свои юбки.

Татьяна Реджинальдовна вытащила из пакета коричневато-золотистую юбку и, кокетливо поводя плечами, взмахнула ею, и тут у всех трех женщин одновременно вырвался вопль ужаса. Юбка буквально распалась в руках бывшей опереточной дивы.

— Что это, Антоша? — простонала она. — Моль?

— Да нет, откуда моль? Видать, срок ее вышел. Вон, глянь-ка, у швов все посеклось... Да чего удивляться-то, в театре небось из дерьма всякого шили, и то сказать, сколько лет продержалась... теперь только выкинуть.

— Ой нет, не выкидывайте! — взмолилась Туся. — Отдайте мне бахрому!

— Да тебе-то на кой? — удивилась Антоша. — Сейчас, что ли, модно?

Туся объяснила, зачем ей бахрома.

— Нет, пусть хоть бахрома на память останется... — огорченно проговорила Татьяна Реджинальдовна.

— Ой, Ренальдовна, тебе-то на кой? Девке для дела надо, ну коли так охота на память оставить, так отрежь кусочек и любуйся, а остальное ей отдай! А кстати, хорошо бы все твое добро пересмотреть. Может, ей еще чего сгодится! Глядишь, и твое тряпье кому-то на пользу пойдет. А так чего лежит? В могилу с собой заберешь? Да и мне лишние хлопоты. Все равно Сергей Леонидович, как помрешь, в помойку выкинет.

— Когда помру, тогда пусть... — упрямо заявила Татьяна Реджинальдовна. — Тогда все равно, а пока...

— Ну и зря! Ладно, вы тут попейте чайку, а я пойду погляжу, не надо ли еще чего выкинуть.

— Вот ей бы все выкинуть... А ты, Туся, свои костюмы не хранишь?

— Откуда у меня костюмы? Сроду своих не было, а из театра никто не даст, да и зачем? Мне не надо.

— Это потому, что ты свое театральное прошлое не ценишь, не любишь, а для меня в театре была вся жизнь. Больше театра я, наверное, только сына любила. Да и то не всегда.

— А я — нет. Там столько зависти было, столько злобы...

— Ну, милая моя, конечно, если у балерины не первого ранга — ты уж прости — вдруг в любовниках голливудская звезда оказывается...

— А вы думаете, балеринам первого ранга гадостей не делают?

— Почему же, делают... И все равно. Театр надо любить всем своим существом, тогда и он тебе взаимностью платит.

— Да нет, театр взаимностью платит только очень талантливым, а у меня таланта как раз и не было... Так, способности да прилежание...

— Ерунда! Ты же прекрасно училась, тебе большое будущее прочили... Куража у тебя не было, вот в чем беда. А без куража в театре делать нечего. Это мать твоя виновата, прости господи, нельзя о мертвых плохо говорить. Но это она вбила себе в башку, что ты должна стать балериной. Ну да ладно, чего уж теперь... ты вот что, если от мужа вздумаешь уйти, переселяйся ко мне. Я рада буду. С тобой веселее. И вспомнить прошлое можно, и жизни поучить. Или у тебя есть к кому уйти? У такой сексапилочки наверняка поклонников куча, я не права?

— Нет, не правы. Я в последнее время что-то дома закопалась, нигде почти не бываю. Лешка как стал главным редактором, занят страшно, а куда я без него? Если и бываю где-то, то чаще всего с Ниночкой.

— Твои отношения со свекровью — это что-то не совсем нормальное. Это почти извращение!

— Да бог с вами, Татьяна Реджинальдовна! — засмеялась Туся. — Ниночка золотой человек.

— Не знаю, не знаю. Но имей в виду, пока я жива, этот дом в твоем распоряжении. Можешь тут даже свои абажуры мастерить.

В этот момент в дверях возникла Антоша, потрясая каким-то куском материи.

— Ну что я говорила! Жучок завелся! Глянь, глянь, Ренальдовна, вона накидушка твоя из «Сильвы» во что превратилася? Труха одна. Скоро весь дом сгноим, все жучок пожрет...

— Дай сюда! — потребовала хозяйка.

— На, полюбуйся! На свет, на свет смотри!

Накидка и впрямь была в плачевном состоянии. Татьяна Реджинальдовна картинно прижала ее к груди, и глаза ее налились слезами. Однако Туся была уверена, что старуха все сыграла.

— А знаешь, что я в этой накидке пела?

— Да знаем, знаем, про кусочек черта! — сварливо отозвалась Антоша.

— Не кусочек, а частицу! Частица черта в нас заключена подчас... И сила женских чар родит в груди пожар... Ах, «Сильва», это был такой успех... А какой у меня был Эдвин однажды! К нам приезжал гастролер из Ленинграда. Забыла его фамилию, он рано умер... Трагическая судьба, но он был красив как бог! Ладно, выкинь эту тряпочку... «Сильву» я и так не забуду!

— А если еще что найду, все тебе тащить?

— Да нет, к чему... Говорят, вещи долговечнее человека, а я их пережила...

— Так то вещи, а это тряпье театральное, мусор один, вон у меня пальто ратиновое еще с пятьдесят пятого года, ничего ему не делается!

Туся еще посидела, поговорила со старухой, а потом собралась домой.

— Так ты помни: если что — добро пожаловать! И не вздумай жильцов из квартиры турнуть, пусть живут и платят, а ты сюда...

— Спасибо, спасибо вам, только я сама еще ничего не знаю.

Они нежно обнялись и расцеловались на прощание. Потом Туся заглянула на кухню попрощаться с Антошей.

— Ты у калитки сумку найдешь, с собой забери, я там тебе тряпочек набрала, авось пригодятся!

— Каких тряпочек? — искренне не поняла Туся.

— Да из сундуков-то. С отделками, сгодится тебе.

— Но мне неудобно...

— Чего неудобно? Все равно на помойку пойдет! Бери-бери!

Сумка оказалась объемистой, но не тяжелой. В электричке Туся заглянула внутрь. Чего там только не было! И все же она пребывала в смущении. Хотя вполне разделяла точку зрения Антоши.

...С вокзала она взяла такси — тащиться с такой сумкой в метро не хотелось. Но въезжать во двор не стала. Противная тетка с первого этажа всякий раз, когда она приезжала на такси, считала своим долгом отчитать ее за расточительность.

— Да пошли ты ее куда подальше! — советовал Алексей.

Один раз она попробовала сказать, что это ее личное дело, но старуха только пуще развопилась. Так зачем портить нервы себе и ей, если сумка совсем не тяжелая. Она остановила такси у въезда во двор. И вдруг сердце учащенно забилось, ей померещилось, что в наступивших сумерках она видит у подъезда фигуру того мужчины... Незнакомца. Да нет, ерунда, никого там нет. Она постояла, переводя дух, заглянула во двор. Никого. Глянула на свои окна — темно. Хорошо, подумала она. По крайней мере не надо «держать лицо». Как я от этого устала... Я, наверное, больше не могу... Вставать всегда раньше мужа, чтобы он не увидел меня не в форме. Я не хочу больше. Не могу просто... Устала... Это превратилось в докучную обязанность... Казалось бы, вошло в привычку, стало второй натурой, а вот поди ж ты... Устала. Она медленно побрела к подъезду.

— Туся! — тихо позвал ее чей-то голос.

Она вздрогнула, обернулась.

— Вы? — ахнула она.

— Я. Я не хотел, но это оказалось сильнее меня... — хрипло проговорил он.

— Что? Что сильнее?

— Желание увидеть тебя. Я не вовремя? Тогда скажи, где и когда?

Она плохо видела его лицо, перед глазами стоял туман, но отчетливо различала его запах, и от этого кружилась голова и подгибались колени.

Он взял у нее из рук сумку.

— О, с виду такая здоровенная, а легкая... Туся... Ты не спешишь?

— Нет, не спешу, — вопреки намерению проговорила она. При нем она становилась совсем безвольной...

Он закинул сумку на заднее сиденье какой-то иномарки. Потом усадил Тусю на переднее. Сам сел за руль и быстро выехал со двора.

— Куда вы едете?

— Не знаю. Неважно.

Проехав два квартала, он затормозил в каком-то переулке. Она, сжавшись, ждала, что вот сейчас он обнимет ее, твердо зная, что не сможет сопротивляться. Но он сидел, положив руки на руль и вцепившись в него так, словно это был спасательный круг.

— То, что произошло, ужасно, почти трагично, но бороться с собой я не в силах. Ничего подобного со мной никогда не было, я всегда или почти всегда... умел справляться со своими чувствами, а тут... Я сбежал тогда, уехал, думал, что дома приду в себя... А потом все бросил и вернулся... Я даже не знаю, нужен я тебе... нет, скорее всего, нет, у тебя муж... своя жизнь, и вдруг я... И все так скоропалительно и... Это же почти ничто... Но я отравился... Это как отрава... Я считал себя сильным, а тут... И дело не в том, что было между нами... Это, по-моему, не главное... главное то, что я совершенно лишился покоя и рассудка...

Смысл его речей плохо доходил до нее, она только поняла, что это любовь... любовь, которая свалилась на нее всей тяжестью чужой судьбы, и от этого было страшно и так странно спокойно и сладко. И не надо «держать лицо»... совсем не надо... Он и так будет ее любить.

Он все говорил что-то, потом вдруг спохватился.

— Ты почему молчишь?

— Мне хорошо, — призналась она. — Какой у вас одеколон?

— Что? — ошалел он.

— Одеколон...

— «Иссио Мияке». — В его голосе явственно звучало разочарование. Ну еще бы... Он мчался к ней, бросив все, а она...

— Нет, я спросила, потому что... Знаете, я однажды выбирала себе духи в магазине и случайно понюхала мужской одеколон Мияке. Мне он так понравился, я даже хотела купить его себе... Но не решилась.

— И мужу не купила?

— Нет, ему не понравилось бы... И ему не пошло бы... Пожалуйста, поцелуйте меня.

Идиот, что ты делаешь? Не ломай ей жизнь, не надо! — пытался он образумить самого себя. Но где там! Она уж не девочка, разберется!

Они целовались в машине страстно и самозабвенно. А когда не хватило воздуху, она прошептала:

— Знаете, мне пора идти...

— Нет, не пущу. Поедем ко мне сейчас же!

— Нет, я приду к вам завтра утром. Давайте ваш адрес.

— Почему? Почему не сейчас?

— Сейчас темно и можно погасить свет... А я так не хочу! — проговорила она, сама себе ужасаясь.

— Господи помилуй! Ну хорошо. Я отвезу тебя назад.

— Нет, не надо.

— Тогда я утром приеду за тобой.

— Нет, я сама... давайте адрес.

Он вытащил из кармана ручку и записную книжку, вырвал листок и написал адрес.

— Во сколько тебя ждать?

— В половине одиннадцатого. Нет, в одиннадцать.

— Так ты точно приедешь?

— Конечно...

— Я провожу тебя.

— Нет, не надо, я сама.

— Имей в виду, если ты не придешь, я явлюсь к тебе домой.

Она засмеялась низким грудным смехом, от которого у него все внутри перевернулось.

— Вам не придется. До свидания.

Она вылезла, он подал ей сумку.

— Что там у тебя?

— Тряпки. До свидания! — Она захлопнула дверцу, повернулась к нему спиной, сделала два шага, но вдруг замерла, и опять шагнула к машине. Он с готовностью подростка распахнул дверцу.

— Как вас зовут? — спросила она.

— Кирилл, — ошеломленно ответил он.

— А! — Она закрыла дверцу и ушла.

Какая странная и какая изумительная... Черт, кажется, в тот раз я назвался каким-то чужим именем... Что она подумает? Неужто придет? Как дожить до утра? Может, податься к кому-нибудь из прежних приятелей? Нет, это чревато бессонной пьяной ночью, а я должен быть завтра в форме. Она не хочет темноты... Странная... А впрочем, многие женщины предпочитают любовь при свете... Хотя далеко не всем это на пользу... А может, не стоит затевать этот роман? Ничего хорошего не выйдет, только скандал, грязь, безобразные разговоры. Зачем ввергать ее во все это? Но я ведь уже столько сделал на пути к ней. И что же, отступить? Испугаться? Выходит, я трус? Нет, я же не за себя боюсь — за нее... Но она ведь не боится... Она тоже хочет... Меня хочет... Но я уеду, а она останется... Ну и что? Я просто не стану ни во что ее посвящать. Зачем? Мы утолим нашу страсть и расстанемся. Не хочу с ней расставаться.

Ерунда, ты не можешь сейчас это знать. Я останусь для нее таинственным незнакомцем, очень даже романтично... Женщины это любят. Надо просто соблюдать некоторую осторожность, не таскаться с ней по ресторанам и клубам. Да она и сама вряд ли этого захочет. Поздно, друг Кирюша, нельзя разочаровывать женщину.

Он вылез из машины. Переулок был покрыт свежим снегом. И на снегу четко видны были ее следы. Он подошел к невысокой оградке какого-то отреставрированного особняка, сгреб ладонью снег и протер лицо. Завтра на лице выскочат прыщи при здешней экологии, подумал он. Ничего, это глупости, вон какой белый снег...

Глава пятая

Все такие фигли-мигли
Не кончаются добром.

Из песен Б.Абарова

Она шла домой медленно, глядя только под ноги, ни о чем не думая, словно боялась до дому расплескать что-то не поддающееся определению. Любовь? Страх? Я подумаю обо всем дома...

Дома она медленно поставила сумку на пол, сняла куртку, ботинки и остановилась перед зеркалом. И не узнала себя. Бледная, с синими губами и лихорадочным блеском в глазах. Я заболела, температура, наверное... И я сейчас такая некрасивая... Неужто он не заметил? А завтра... Завтра я не смогу пойти к нему...

Но тут жалобное мяуканье вывело ее из оцепенения.

— Мамзинька, маленький, прости меня, дуру. —

72

Она взяла его на руки, прижала к себе, поцеловала. — Как хорошо, что ты у меня есть...

Покормив котенка, она решила не сидеть сложа руки. Достала из сумки тряпки и первым делом отрезала бронзовую бахрому. Ее оказалось довольно много, почти три метра. Хватит на несколько абажуров. Потом собрала тряпки опять в сумку и запихнула ее на антресоль, чтобы не мозолила глаза. Затем бестрепетной рукой достала из шкафа красивый и очень дорогой платок из золотистого шелка, купленный когда-то давно во время гастролей в Германии. Надела абажур на лампу, накинула на него платок, приложила бахрому.

— Смотри, Мамзик, какая красотища! Даже лучше, чем я предполагала.

Зазвонил телефон.

— Тусь, ты дома? Мы с Никитой сейчас заедем. Покормишь?

— Конечно. Вы когда будете?

— Минут через десять. В пробке стоим уже у нашего светофора.

Она даже обрадовалась. Быстро спрятала лампу и побежала на кухню. Минут через пятнадцать она услыхала, как ключ поворачивается в замке.

— Привет! Как дела? — привычно поздоровался Алексей.

— Тусечка, здравствуй, солнышко!

— Привет, ребята, идите мойте руки! Грибной суп будете?

— Все будем! Мы сегодня даже кофе выпить не успели. Да, кстати, что это за мужик посадил тебя в машину, а?

Этого она не ожидала, никак не подготовилась.

— Что?

— Повторяю вопрос: что за мужик посадил тебя в машину, когда ты вернулась откуда-то с большой сумкой? И почему он не привез тебя обратно с этой же сумкой, а?

— Это тебе кто насплетничал?

— Твоя подруга с первого этажа!

— А, понятно. Делать ей нечего.

— И все-таки, Туська, кто? И что за сумка?

— Господи, бред сивой кобылы! Просто возвращалась от Татьяны с дачи, по дороге кое-что купила, да еще она отдала мне кое-какие тряпочки... для Линки, она же шьет дочке театральные костюмы, — затараторила Туся.

— Это что касается сумки, а мужик?

— А мужик... Послушай, ты что, ревнуешь? — Она никак не могла придумать, что соврать.

— Ревную, представь себе. Я целыми днями на работе...

— Ладно, ребята, кончай придуриваться, я есть хочу, умираю, потом разберетесь! — пришел ей на помощь Никита.

Она облегченно перевела дух. Ничего, Алексей скоро забудет, это он с голодухи злой и подозрительный, а поест — и мир покажется ему по-прежнему прекрасным. И все же надо что-то придумать... Спасибо Никите, у нее появилось для этого время.

Мужчины накинулись на еду с такой жадностью, словно не ели двое суток.

— Что это с вами? Почему в буфете не перекусили?

— Какой буфет? Полдня проторчали в прокуратуре.

— Почему? Что случилось?

— Да ерунда, очередное дело о клевете... Мы подали встречный иск, а ответчик возьми и покончи с собой... Или его замочили, не поймешь... Короче, подарочек к Новому году!

— Боже мой, это опасно? — воскликнула Туся.

— Да нет, рассосется, но нервы помотают. Мое великое счастье, что я догадался в свое время взять на работу Виктора Игнатьича! Вот уж юрист так юрист! За ним как за каменной стеной! А сколько мне твердили, что он устарел! А я вообще прихожу к выводу... Тусь, дай горилочки, сил нет, как выпить охота!

Она с готовностью достала из холодильника бутылку.

— Так к какому выводу ты пришел? — напомнила она, стараясь направить разговор в прежнее русло.

— Ну, Никит, давай выпьем, чтобы все наши неприятности остались в старом году!

— Я тоже с вами за это выпью!!

— Правильно, умница! Какая у меня жена понимающая! Вообще, я везучий парень, а?

— Тусь, за тебя!

— Правильно, Никит, давай за Туську, все равно и в новом году неприятности будут, куда от них денешься, давай вспомним, что мы не только газетчики, а еще и мужики!

— Туся, твое здоровье! А ты чего сегодня такая красивая?

Она вспыхнула, а Никита как-то странно ей подмигнул, как будто они были сообщниками.

Алексей выпил подряд три рюмки и мгновенно захмелел.

— А правда, Тусь, ты чего сегодня такая?..

— Какая?

— Такая, что... Слов нет! Супер!

— Я сегодня была за городом, на свежем воздухе... А ты просто напился. Ладно, вы тут обсуждайте свои дела, а я лучше телевизор посмотрю.

Она абсолютно ничего не понимала из происходящего на экране, но не потому, что фильм был как-то особенно сложен — очередная серия «Ментов», — ей просто не удавалось сосредоточиться. Еще бы! Этот странный и даже какой-то опасный человек снова здесь, он нашел ее, он ее хочет, он даже, может быть, любит ее, а она совсем, ну совершенно ничего о нем не знает, да и не очень хочет знать... Ее просто влечет к нему с неистовой силой, и плевать, что он немолод. А вдруг он какой-то преступник? Ну и черт с ним! Больше всего меня пугает, что он может быть Ниночкиным любовником, которого я, сама того не желая, отбила. Вот это неприятно... Но что же делать? Надо просто постараться сохранить все в тайне. И потом, у Ниночки сейчас другой мужчина. С ним она уезжает на Новый год, нарушая все семейные традиции, значит, здорово влюблена. Этот... сказал, что живет в гостинице, значит, он не москвич? А машина? Машину мог взять напрокат или у кого-то из друзей. Интересно, откуда он? Похоже, откуда-то с юга, загар такой... И еще у него невероятные синие глаза и морщинки возле глаз... Неотразимые... И губы... От его поцелуев бросает в дрожь... Да что поцелуи, от одного звука его голоса... От его рук... у него потрясающие руки — огромные, мужицкие, словно привыкшие к тяжелой физической работе, и при этом в нем есть что-то аристократическое... Перестань, дура, когда ты могла успеть заметить его аристократизм? Это бред... Ты просто влюбилась в первого встречного немолодого мужика, дала ему через полчаса после знакомства, «предоставила мандюшку», и тебе это так понравилось, что ты дождаться не можешь повторения, только и всего. Это просто похоть и ничего больше. Тебе скоро сорок, самый, говорят, похотливый возраст, а тут еще обида на мужа, всякие нехорошие подозрения, ну и вот... Нет, ничего подобного... То есть все это так, да, правда, но глаза-то у него и вправду синие, и руки... и голос... Ну и таинственность тоже... Это возбуждает...

К ее удивлению, Никита довольно скоро ушел. А Алексей плюхнулся на диван рядом с ней и полез обниматься.

— Лешка, отстань, дай досмотреть...

— Не дам, хватит пялиться в дурацкий ящик! Иди лучше ко мне, ты у меня такая... От тебя можно спятить... В чем дело? Ты давно такой не была, — бормотал он. И вдруг разжал руки. — Да, между прочим, о каком мужике говорила эта дрянь с первого этажа?

Но она была уже готова к подобному вопросу.

— Да это Борька заезжал. Не мог мне на мобильник дозвониться, я зарядить забыла, а он заехал попрощаться, думал, я дома, тут и я появилась, но он спешил уже, я села к нему в машину и доехала с ним до угла...

Борька ее старый приятель и бывший партнер по сцене. К нему Алексей не ревновал по причине его нетрадиционной ориентации.

— Борька? Странно это все...

— Да брось, Лешик! И вообще, если ты станешь слушать эту полоумную...

— Дело не в ней!

— Здрасте, я ваша тетя, а в чем же?

— В тебе! У тебя на лице что-то такое написано...

— Да что, черт возьми, у меня на лице написано? Просто вчера я была у косметички, а сегодня полдня провела на свежем воздухе... А вот ты, похоже, поссорился со своей девкой, она, видно, оставила тебя на голодном пайке, вот ты и обратил внимание на жену!

Видимо, в ее словах содержалась известная доля истины, потому что он вдруг вспыхнул.

— Да о чем ты говоришь! Нет никакой девки, сколько раз можно повторять! Ладно, к черту, я хочу тебя, как в первый день... Помнишь, я ждал тебя на лестнице... А ты стала еще лучше, я от тебя просто балдею...

Пришлось ему уступить. И она не могла бы сказать, что это не доставило ей удовольствия, наоборот, все ощущения необычайно обострились, и, когда Алексей наконец уснул, она, привычно натянув на него одеяло, подумала: не пойду я завтра к тому... Зачем мне эти сложности и страсти, это так утомительно и ни к чему хорошему не приведет. А мне и с Лешкой неплохо...

Утром, когда она кормила его завтраком, он вдруг посмотрел на нее и нежно потрепал по щеке.

— Тусь, а давай и вправду встретим Новый год вдвоем?

— Разнежился? — улыбнулась она, а у самой сердце ушло в пятки.

— Не в этом дело. Просто захотелось... Это довольно романтично, правда?

— А ты потом не станешь рваться куда-нибудь в компанию?

— Да ты что! Я так устал от людей. И потом... Знаешь, если б мне сейчас не надо было мчаться...

— Иди уже!

Он ушел. Она подошла к окну, увидела, как он сметает снег с машины, говоря о чем-то с соседом, выгуливающим черного терьера.

Он все равно родной, а тот... Вообще незнамо кто и откуда. Может, он маньяк? Вчера с Лешкой было так здорово, так зачем мне этот тип? Не пойду, твердо решила она и стала собирать белье для стиральной машины. Потом достала абажур и принялась обматывать белой лентой проволочный каркас. Надо бы позвонить Альке, что-то она пропала. Может, раздумала заниматься абажурами?

Однако в пять минут одиннадцатого она вдруг начала лихорадочно приводить себя в порядок. Я должна пойти к нему и сказать, что между нами ничего не может быть, я люблю мужа, и пусть он уезжает. Если я не пойду, он явится сюда. А это опасно... Лешка же может его знать... Черт побери, кто он такой?

Наконец она оделась и, махнув рукой на рабо-

79

тающую стиральную машину, выскочила из квартиры. Внизу она столкнулась с той гнусной бабой, которая почему-то ненавидела ее. Ей захотелось дать ей пинка, но она не рискнула.

— Чего не здороваешься?

— Не вижу оснований! — бросила Туся и быстро выбежала из подъезда.

На улице она схватила такси, так как уже опаздывала. Интересно, он меня ждет в номере или догадается спуститься вниз? Гостиница была небольшая, частная, затерявшаяся в Сретенских переулках. Туся сразу увидела его. Он топтался у подъезда и, как ни странно, чем-то напомнил ей Лешку. Тот всегда так же нетерпеливо топтался на месте, когда ждал ее в тот долгий период ухаживания...

Едва такси остановилось, он кинулся к машине, открыл дверцу, подал руку.

— Приехала? Я почему-то все утро боялся, что ты не приедешь. Я так соскучился... Идем скорее!

— Нет, нет, я приехала, только чтобы сказать... я даже машину не отпустила... я не могу. Этого не нужно... Ни к чему... — залопотала она.

Казалось, он ее не слышал, только блаженно и даже глуповато улыбался.

— Послушайте, отпустите мою руку, я поеду.

Он вдруг рассмеялся, нагнулся к открытой дверце. И что-то сунул водителю и властно потянул ее за собой. Машина, взревев, уехала.

— Что вы себе позволяете?

— Туська, не бузи!

— Что? — ахнула она. — Я же сказала вам... я даже не знаю, кто вы такой, и вообще... Отпустите меня!

— Да ни за что на свете! Знаешь, откуда я примчался к тебе? Из такой чертовой дали, а ты...

— Все равно пустите! — слабо сопротивлялась она, а он буквально втащил ее в гостиницу.

— Я закричу!

— Не закричишь, это же привлечет внимание, а ты не хочешь привлекать внимание.

Он открыл высокую дверь, и они очутились в маленьком, необычайно уютном ресторане, где в этот час не было ни души. Она перевела дух. Слава богу, он не поволок меня в номер, успела подумать она. Он снял с нее шубку и повесил на стоячую круглую вешалку. Разделся сам, пригладил волосы.

— Ты голодна?

— Нет, спасибо.

— Но кофе мы можем выпить, правда? И немножко коньяку, да?

— Я не буду.

— Кофе тоже не будешь? Может, чаю?

— Коньяк не буду, а кофе вообще не пью.

— А я с твоего позволения выпью чуть-чуть.

Они сели за столик друг против друга. Она старалась не смотреть в его глаза.

— Туся, Тусенька моя, я так счастлив видеть тебя... Знаешь, откуда я приехал? Из Бразилии. Не ближний свет. И только чтобы увидеть тебя.

— А что вы делаете в Бразилии, вы там живете? Где много-много диких обезьян?

— Нет, сейчас уже нет, но раньше жил, я ездил туда, чтобы продать дом.

Вот тут ей стало по-настоящему страшно.

— Зачем продавать дом в Бразилии?

— Он мне не нужен больше. Я хочу купить квартиру в Москве, а это дорогое удовольствие.

— Ну, это ваши сугубо личные проблемы...

— Хорошо, пусть так. Туся, я должен тебе сказать... Я уже не мальчик, у меня в жизни чего только не было, но... такого со мной еще не бывало. Правда, честное слово. Я после той нашей встречи совершенно потерял голову и, должен признаться, безумно испугался. И сбежал, как последний трус... Я думал, что расстояние меня спасет. Уехал в Бразилию, хотя вот уже три года живу во Франции... Но это оказалось сильнее меня. Я, наверное, несу какую-то чушь, но просто в твоем присутствии я дурею... Я столько узнал о тебе... Ты так странно породнилась ко мне...

— Что вы обо мне узнали?

— Все, что можно узнать из Интернета.

— Господи, да что можно узнать из Интернета о домохозяйке?

— Ты же не всегда была домохозяйкой...

— А, вы имеете в виду роман с Мак-Лейном? Так об этом все знали...

— Ну и о твоем муже я тоже многое знаю. Ты его любишь?

— Да, люблю.

— А почему у вас нет детей?

— Слава богу, хоть об этом в Интернете не говорится.

— И все же?

— А вам-то что за дело? Зачем вам мои дети, которых нет?

Что я такое несу? — испугалась она.

— Просто я хотел бы, чтобы ты родила мне...

— Что?

— Глупо, да?

— Глупее не бывает.

Он отпил коньяк из подогретого бокала. Улыбнулся.

— Чему вы улыбаетесь? Это все какой-то бред. Я даже не знаю, как вас зовут. В тот раз вы назвались Александром, вчера Кириллом, а как вас зовут сегодня?

— Кириллом и зовут. Когда-нибудь я расскажу тебе, почему в тот раз соврал. Ну что, Ниночка не заметила подмены зеркала?

— Нет, по крайней мере, мне об этом ничего не говорила.

— Я убежден, что не заметила... А у тебя с ней добрые отношения?

— Да, очень. Мы с ней дружим, и вообще...

— Она легкий человек, да?

— Легкий и очень хороший. А что вас с ней связывает?

— Да ничего почти... Когда-то сто лет назад было кое-что... Послушай, мне кажется, ты еще похорошела, от тебя невозможно глаз оторвать... Я знаю, женщинам нельзя задавать такие вопросы, но сколько тебе лет?

— Скоро сорок.

— Никогда в жизни не сказал бы...

— Вы разочарованы?

— Что за ерунда! К сорока годам женщина становится куда интереснее...

Он протянул ей обе руки.

Она замерла.

— Дай мне свои руки, пожалуйста!

Она, помедлив, вложила свои ладошки в его огромные ладони. Он сжал их.

— Чего мы тут сидим?

С ней произошло что-то странное. Такого никогда не бывало. Ей вдруг почудилось, что этот человек стал неотъемлемой частью не просто ее жизни, нет, он словно бы стал частью ее самой, как будто они сиамские близнецы или существуют вдвоем так тесно, словно у них одна общая кожа, общее тело, что между ними нет никаких преград, и это наполняло ее таким счастьем и весельем, что вдруг захотелось запеть, пуститься в пляс... Он спал на животе, обхватив подушку. Я люблю его... люблю каждый волосок на его теле, каждую морщинку на лице... и если он позовет меня в свою Бразилию, я поеду, брошу все и поеду... Только Мамзика возьму... А не позовет, буду бегать к нему на свидания, пока ему не надоест. И мне совершенно наплевать, что у меня, наверное, помятый вид... И не нужно «держать лицо»... Почему-то я в этом убеждена. А как тут хорошо, какой красивый уютный номер, что значит старое здание, высокие потолки... Интересно, куда выходят окна?

Она встала и как была, нагишом, подошла к окну. На улице все растаяло, с крыши капало... А хорошо сейчас в Бразилии, наверное... Но он же продал свой тамошний дом, хочет зачем-то купить квартиру в Москве... Что значит зачем-то? Чтобы быть поближе ко мне! Он тоже меня любит. Это любовь с первого взгляда. А вдруг он сумасшедший? Ну и пусть, сумасшедший, преступник, авантюрист, какая разница?

— Туська, ты что это голая у окна торчишь? Ты эксгибиционистка?

Она обернулась, посмотрела на него, и ее вдруг охватило сумасшедшее веселье, она сделала какое-то балетное па, потом хлопнула себя по икрам, как в чардаше и пропела:

— На паровозе-возе-возе-возе-возе, я улечу в сияющую даль, жила я раньше в родном колхозе, а нынче прошлого ни чуточки не жаль!

Он едва не свалился с кровати от хохота.

А когда немного успокоился, спросил вдруг:

— Пойдешь за меня замуж?

— Запросто!

— Я серьезно!

— И я. Как тебя зовут все-таки, а, жених?

— Все-таки Кирилл!

— А фамилия?

И тут вдруг зазвонил ее мобильник.

— Плюнь!

— Я только посмотрю кто.

Номер не высвечивался. Ей вдруг захотелось, чтобы это звонила та девка...

— Алло!

— Вы в курсе, что ваш муж уехал в командировку со своей кралей? — произнес незнакомый голос.

— Счастливого пути и скатертью дорожка! — выпалила она и отключила телефон.

Ее вдруг зазнобило, и она прыгнула в постель и прижалась к нему, чтобы согреться.

— Я люблю тебя, как это ни странно, — прошептала она.

Потом они долго обедали в ресторане гостиницы.

— Слушай, а что это за хреновину ты пела про колхоз и паровоз? — смеясь, спросил он.

— Тебе понравилось?

— Ну еще бы! Давно такой прелести не слышал, просто ранней юностью повеяло.

— Слушай, Кирилл, если ты Кирилл, а кто ты по профессии?

— Вообще-то я скульптор, но в последнее время занимаюсь изразцами.

— Изразцами? — удивилась она.

— Да, и это неплохо кормит, куда лучше, чем скульптура, хотя мне грех жаловаться, мои работы неплохо продаются, особенно в Бразилии... Но однажды я увидел в Провансе старую разрушенную ферму с большой усадьбой. Я влюбился в это место, там такая красота... Да и климат куда лучше бразильского. Ферма продавалась буквально за гроши, но дома практически не было, одни руины. Я построил дом, мастерскую. Тебе там понравится. Будем вечерами сидеть у камина и рассказывать друг другу о прошлой жизни. А сейчас я не могу, сейчас я хочу говорить только о настоящем и будущем, то есть о тебе. Потому что не мыслю себе будущего без тебя. Знаешь, я полагал, что подобные истории всего лишь литературное прикрытие основного инстинкта... Конечно, существует влюбленность, но она уж очень недолговечна, существует привязанность, она как раз может быть долговечной, но я всегда спокойно мог обходиться, и подолгу, без любой из моих женщин. А без тебя — не могу. Наверное, я стал старым и сентиментальным.

— А может, это просто та самая недолговечная влюбленность? — лукаво, ни секунды в это не веря, спросила она.

— Да нет, неужто ты сама не понимаешь, разве с тобой не то же самое происходит?

— Я не знаю... Сколько ты пробудешь в Москве?

— Столько, сколько потребуется, чтобы уехать домой в абсолютной уверенности, что ты приедешь ко мне навсегда. У вас с... мужем брак официальный, нужен развод?

— Да.

— Тогда начинай процесс.

— Какой процесс?

— Бракоразводный, какой же еще.

— Никакого процесса не будет. Я просто уйду. И все. Но на это нужно время... Да, и еще... У меня котенок...

— Бери котенка, что за проблема. У меня тоже есть кот. Огромный серый котище, он приблудился ко мне, и мы подружились, его зовут Маркиз. А твоего как?

— Мамзик.

— Мамзик? Ну, это годится, только пока он маленький. А для взрослого кота такое имя даже унизительно. Ну ничего, мы что-нибудь придумаем. Ты говоришь по-французски?

— Немножко. В училище нам преподавали...

— Надо будет заняться. А машину водишь?

— Нет.

— Плохо. Ну ничего, это тоже придется освоить. Без машины там нельзя.

— Я умею шить... — вдруг сказала она. — И готовить...

— Тоже полезно. А ты капусту квасить умеешь?

— Нет.

— А огурцы солить?

— Умею только летом делать малосольные, такие, которые можно есть в тот же день, а на зиму заготавливать не умею. Но я научусь... Я всему научусь... Я собиралась делать абажуры...

Она рассказала ему о своих планах.

— Нет, к чертям абажуры! Главное, ты поговори с мужем, ну и с Ниночкой, конечно.

— А можно мне будет...

— Сказать ей обо мне?

— Ну да.

Он задумчиво посмотрел на нее:

— Знаешь, не стоит. Она вдруг начнет вспоминать грехи моей молодости, да еще в своей интерпретации... Зачем это?

— В твоей молодости было что-то предосудительное?

— Наверное, в молодости каждого мало-мальски привлекательного мужчины, не кастрата, есть что-то предосудительное, ну, свои скелеты в шкафу. Я расскажу тебе о них потом, но сам. Ты ведь тоже предпочла бы сама рассказать мне о каких-то эпизодах своей жизни, а не предоставить это право своим балетным подругам.

— Да уж, главное, что в этой жизни мы нашли друг друга, по крайней мере, я так чувствую...

— Ты все правильно чувствуешь. Скажи мне только: ты готова жить отшельницей, как живу я? Там нет светской жизни, даже соседи достаточно далеко. Я много работаю, и вовсе не каждую неделю мы сможем куда-то вырываться...

— Ну и что? Я и в Москве живу отшельницей. Не люблю тусовки.

— Но в Москве ты знаешь, что в любой момент...

— А там большой дом?

— Да как тебе сказать... Немаленький, во всяком случае, хотя комнат не так уж много. Дом одноэтажный. Очень большая гостиная, метров пятьдесят, три спальни, просторная кухня, ванная и все такое. Есть еще что-то вроде каменной террасы, но она пока никак не обустроена.

— А что там надо обустраивать?

— Ну тент сделать, стол поставить, мангал, может быть...

— Так это открытая терраса?

— Да.

— А я смогу поставить там какие-то растения в горшках?

— Ты сможешь делать там все, что тебе захочется.

— А в доме?

— И в доме. Нельзя ничего трогать в моей мастерской. Ну и в гараже, это моя епархия. А дом в твоем распоряжении. Он у меня еще плохо обжит. Я, собственно, почти все время торчу в мастерской, даже сплю там иногда.

— А собака у тебя есть?

— Пока нет, но мы обязательно заведем.

— А с кем же остался Маркиз?

— Два раза в неделю приезжает на велосипеде женщина, она убирает дом и оставляет ему еду. Он вообще-то весьма самостоятельная личность, может и сам себя прокормить, если что, но он все-таки должен знать, что я его не бросил, что я вернусь.

— А как тебя занесло в Бразилию? Не очень характерная страна для эмиграции...

— Я расскажу тебе когда-нибудь потом. А ты что-нибудь вообще знаешь о Бразилии?

— Ну еще бы, я смотрю бразильские сериалы, и у меня часто бывает ощущение, что у меня там масса знакомых.

— Боже мой, какая прелесть! Если захочешь, мы съездим в Бразилию.

— Да, наверное, захочу...

— Только не во время карнавала, этого я не вынесу.

Они вдруг начали смеяться, да так, что Туся закашлялась, и на глазах появились слезы.

Очухавшись, она заметила, что за окнами уже совсем темно.

— Знаешь, мне пора...

— Я тебя отвезу. Ты завтра придешь?

— Да. Я теперь всегда буду приходить, когда ты меня позовешь.

— А надо еще звать? Я, кажется, уже позвал...

— Нет, я не могу... Пока еще меня надо звать...

— Так вот, я зову.

— Я приду.

— Когда ты поговоришь с мужем?

— Не знаю, — нахмурилась она. — Кажется, он уехал куда-то...

— Куда-то? — удивленно переспросил он.

— Да, мне позвонили от него и сказали, что он уехал в командировку, а куда, я не спросила...

— Это был тот звонок?

— Да.

— И ты ответила «скатертью дорожка»?

— Да.

— Понятно.

— А ты знаешь, тебе придется всюду возить меня с собой. Я буду бояться одна на твоей ферме...

— Даже не надейся, что я тебя оставлю одну хоть на один день... Я буду ревновать тебя к фонарному столбу. Потому что мне кажется, что все мужчины должны тебя хотеть...

Глава шестая

Но склонна жизнь
к дурным капризам.

Из песен Б. Абарова

Она попросила его остановить машину на углу.

— Чего ты боишься?

— Да одной идиотки... Она почему-то меня ненавидит. Зачем дразнить гусей?

— Желание дамы закон.

— А что ты сейчас будешь делать? — не без робости спросила она.

— Честно?

— Конечно.

— Поеду в гостиницу и завалюсь спать.

— А ночью?

— И ночью буду спать. Или мечтать о тебе.

— Ну, я пойду...

— Поцелуй меня на прощание.

— Нет, тогда я не уйду.

— И не уходи. Поехали обратно?

— Нет, что ты, нельзя, у меня там Мамзик один!

— О, тогда не смею задерживать... Знаешь, я скажу тебе одну вещь, только ты не смейся. Я тебя к Мамзику тоже ревную. Как представлю себе, что ты будешь с ним возиться, разговаривать...

— Я его еще и целовать буду.

— Я не переживу! Да, кстати, придумай ему какое-нибудь нормальное взрослое имя.

— Постараюсь. Ну, я пойду?

— Иди. И завтра я тебя жду. В то же время.

— Я приду.

— А когда ты поговоришь с мужем?

— Когда увижу его. Он ведь уехал.

— Да-да... ну иди уже, думаешь, мне легко тут сидеть и не трогать тебя?

Она засмеялась своим низким грудным смехом, от которого у него голова шла кругом, и выскочила из машины. Потом вдруг опять распахнула дверцу.

— А как тебя сегодня зовут?

— Сегодня и всегда Кирилл.

Она кивнула, захлопнула дверцу и убежала. Какая она грациозная, изящная, а походка... Сойти с ума. Я и сошел, окончательно и бесповоротно... Только бы она не догадалась раньше времени...

Она вошла в квартиру, кинула шубку на кресло в прихожей и сразу заметила мигающий красный глазок автоответчика.

— Тусик, не мог тебе дозвониться! Мне пришлось на сутки мотануть в Киев. Сама понимаешь, что там творится. Целую!

— Скатертью дорожка! — повторила она и подошла к зеркалу.

Зазвонил телефон.

— Туська, ты куда пропала? Как наши абажурные дела?

— Алька, ты где? — несказанно обрадовалась Туся.

— И я о том же! Я тут недалеко. Можно к тебе заехать? Кофейку дашь?

— Жду!

— Мама родная, что с тобой, у тебя такой свеже-потраханный вид!

— Зришь в корень!

— И кто? Ой, неужто незнакомец объявился?

— Да, я только что от него.

— Хорошо, что тебя сейчас Лешка не видит.

— Пусть видит, мне плевать, Алька, я просто сошла с ума, я умираю от любви!

— Ну вообще-то это называется не любовь, а...

— Ничего ты не понимаешь, это именно любовь, и у него тоже... С первого взгляда, роковая...

— Ой, мамочки, какие страсти!

— Я выхожу за него замуж.

— Это кто решил, позволь спросить?

— Он решил. И я согласилась.

— Ты больная?

— Я здоровая, счастливая, по уши влюбленная... Знаешь он какой?

— Ну, судя по всему, половой гигант!

— Это не главное...

— Значит, все-таки гигант? — заинтересовалась Алька.

— Наверное, да...

— А лет ему сколько?

— Точно не знаю.

— А вообще ты хоть что-то о нем знаешь, кроме анатомических подробностей?

— Конечно. Он скульптор, много лет жил в Бразилии...

— Где много всяких Педров?

— А теперь живет во Франции, у него дом и мастерская в Провансе. Кот Маркиз. И сейчас он в основном занимается изразцами.

— В каком смысле?

— В самом прямом. Делает эксклюзивные коллекции для богатых. Вот...

— Это вся информация?

— А что, мало?

— Мамзик наплакал. Дети у него есть? Жена?

— Про детей ничего не говорил, и про жену тоже.

— Блин, ты о чем думаешь? Замуж пойду! А кто он и что он, не знаешь. Совсем крыша съехала. А фамилию ты хотя бы знаешь?

Туся задумалась.

— Нет, кажется, нет...

— Что значит — кажется?

— Видишь ли, я спросила, но в этот момент мне позвонили на мобильный, и я не помню, ответил он или нет...

— Ну ни фига себе!

— Понимаешь, звонок был неприятный.

— Опять что-то про Лешку?

— Да. Только голос другой.

— Кому-то здорово охота вас поссорить.

— Эта особа даже не подозревает, как она близка к цели! Как только Лешка появится, я сразу поговорю с ним. Я уеду, Алька. Заберу Мамзика и уеду к нему. Я знаю, я уверена: я буду с ним счастлива по-настоящему.

— В Прованс уедешь?

— Да, у него там дом, сад, он сказал, что в доме я смогу делать все, что захочу... Там дивная природа...

— Прованское масло и капуста «провансаль».

— Ты не понимаешь, Алька...

— Это правда, чего-то я не догоняю... Ты с ним сколько раз виделась?

— Всего три... То есть вчера я только посидела с ним в машине... А сегодня... И завтра пойду.

— У него тут квартира есть?

— Нет, он в гостинице живет. И машину взял напрокат. Он сказал, что не мог забыть ту нашу встречу и без меня не мог... даже в Бразилии...

— Ну если в Бразилии не мог, то это впечатляет... Там, судя по сериалам, тучи охренительных баб... Дура ты, Туська, редкостная.

— Нет, я постараюсь объяснить... Понимаешь, я знакома с Лешкой почти шесть лет, и с самого первого дня меня угнетала наша разница в возрасте. Постепенно он сумел мне внушить, что это роли не играет и что пять лет не разница, но я... Мне это постоянно мешало. Я все время... старалась «держать лицо», никогда не жаловалась ему, что у меня болит нога или голова... Я устала, а с Кириллом все по-другому. С ним я чувствую себя свободно, легко, уютно. Мне, если честно, с Лешкой всегда было не очень уютно. С Ниночкой — да, а с ним нет. Я все время

ждала, что кто-то скажет мне, что я старая калоша...
И дождалась...

— Ну, милая моя, это элементарно! Если ты
ждешь удара, так тебя непременно стукнут.

— Может, ты и права. И потом... Он хочет ребенка... А Лешка ни за что не хотел.

— А ты? Не поздно ли?

— Откуда я знаю? Если Бог пошлет...

— Да, дела... ну надо же. И тебе не жалко бросить
Лешку?

— Лешку? Нет, наверное. Ниночку жалко.

Алька вдруг схватила Тусю за руку.

— Что ты мечешься по комнате? Погоди, ты сказала, что его зовут Кириллом. А в прошлый раз он
ведь Александром назвался?

— Ну да. Но он объяснил.

— Туська, у тебя, похоже, мозги набекрень. Или
его сперма в голову ударила.

— Почему?

— Ты не понимаешь, кто он такой?

— А кто?

— Да сдается мне, он твой свекор.

— Что? — ошалела Туся.

— Что слышишь! Конечно, я не могу это утвер-
ждать, но в качестве предположения... Лешка ведь
Алексей Кириллыч, папаша его скульптор... Так?

Туся оцепенела.

— Он приехал из дальних стран и решил в день
рождения сделать сюрприз бывшей жене, поглядеть
на более чем взрослого сынка, чем плохо на старости лет заиметь сынка? А тут вдруг бабенка попа-
лась, слабая на передок. Ну, он своего и не упустил.

А как узнал, что ты его невестка, сбежал... Чем не версия? Очень похоже на правду.

— Но тогда зачем же он вернулся? — едва слышно пролепетала Туся, хватаясь за соломинку, хотя она сразу поверила в эту страшную версию.

— А влюбился! Ты, Туська, баба такая, от тебя мужики иногда мрут как мухи, даже голливудские, а поскольку он не привык себе ни в чем отказывать, то почему бы и не увести жену у сына? Это прикольно! И очень стимулирует в пожилом возрасте.

— Подожди, Аль, но ведь это всего лишь догадки... Это еще доказать надо.

— Туська, у тебя есть фотографии?

— Какие?

— Ну Лешкины детские?

— Да нет, они у Ниночки.

— Она еще не уехала?

— Уехала.

— У тебя есть ключи от ее квартиры?

— Конечно.

— Поехали.

— Куда?

— Совсем отупела? К Ниночке, альбомы смотреть!

— Нет, я не хочу... Я завтра, сама...

— Ну уж нет, я теперь тебя одну не оставлю, все слишком далеко зашло. Кстати, все еще может оказаться полной чихней, плодом моего больного воображения. Давай-давай, бери ключи.

— Аль, я боюсь.

— Раньше надо было бояться, когда давала невесть кому, а теперь чего уж...

— Как ты не понимаешь, я его люблю...

— Какая, на фиг, любовь? — не своим голосом заорала Алька. — К кому любовь? Да он же подонок, Туся! Ну ладно, первый раз он не знал, но теперь-то уже знает и сознательно уводит жену у сына. Это, по-твоему, не подлость? Он обязан был сказать тебе все, когда приехал. О-бя-зан, понимаешь? А он трус! Он вообще трус! Тогда сбежал, а теперь смолчал. Как можно такого любить? Ерунда, охолонешь. Но сперва все-таки следует убедиться.

— Может, ты и права, — вяло откликнулась Туся.

В квартире у Ниночки повсюду были видны следы поспешного отъезда. Туся машинально принялась убирать разбросанные вещи.

— Ты больная? — накинулась на нее Алька. — Давай тащи альбомы. Да не расползайся ты в манную кашу, может, все еще и не так...

— Так, я чувствую, что так... — едва слышно прошелестела Туся. И пошла за альбомами. — Вот! Правда, я не уверена, что тут есть его фотографии... Я так поняла, что он не был Ниночкиной великой любовью...

— Ну и что? Мало ли чьи фотографии мы храним.

— Но ведь прошло столько лет, мы можем его не узнать. Лешке тридцать пять, а папаша смылся, когда ему было два...

— Алименты хоть платил?

— Платил, кажется.

Алька принялась энергично листать альбомы, а Туся сидела в кресле, бессильно уронив руки и закрыв глаза. В голове не было ни одной мысли, только бесконечная усталость.

— Так, посмотри, это кто?

Она открыла глаза.

— Это Ниночкин брат, Лешкин дядя.

— А это?

— Не знаю, но не он.

— Точно?

— Точно.

— Блин, ты тоже смотри, быстрее будет.

— Не хочу.

Алька возмущенно запыхтела.

— Так, — проговорила она вскоре, — а вот это, я подозреваю, он. Хорош, обалдеть можно. Посмотри, он?

На фотографии был совсем маленький, не больше года, Лешка, которого держал на руках... Кирилл, молодой, ослепительно улыбающийся, с веселыми глазами.

— О-о-о-о-о! — застонала Туся.

— Значит, он! — с торжеством констатировала Алька. — Да, нехилый мужичок. Просто то, что доктор прописал. Правда, это было в незапамятные времена, но видать, хорошо сохранился, если ты так повелась... Но все равно козел и мерзавец! Скажи спасибо, я вовремя сообразила, а то могла бы дров наломать...

— Но что же мне делать? — взмолилась Туся.

— Поехать к нему и все сказать в лицо!

— У меня нет сил.

— Завтра скажешь. У вас же свиданка назначена, вот поедешь и скажешь. Хотя нет, ты ж при виде его небось сразу трусы скинешь, вот он тебе мозги и запудрит. Ночная кукушка и все такое... Ты лучше позвони и назначь встречу на нейтральной территории, в каком-нибудь кафе.

— Нет, Алька, не стану я с ним встречаться. Зачем? Я просто позвоню и скажу... Или нет, позвони ты...

— А я тут при чем?

— Позвони и скажи, что я все узнала и больше не желаю его видеть...

— Я могу. Мне ништяк, но только так все же не делается. А потом я же буду виновата. Нет уж. Звони сама. Наберись храбрости и позвони.

Алька схватила трубку радиотелефона и сунула ее Тусе в руки.

— Звони давай, скажешь все — легче будет.

— Нет, сейчас он спит.

— А ты почем знаешь?

— Он сказал, что поедет и ляжет спать...

— Ничего, проснется!

— Нет.

— Тебе его жалко? Он утомился, бедненький, трахая жену сына, и теперь отдыхает! Сволочь!

— Знаешь, Аль, если я не позвоню и завтра не приеду, он поймет...

— Ерунда! Он решит, что ты заболела или у тебя что-то случилось... О своей вине он подумает в последнюю очередь, можешь мне поверить, я эту породу знаю. Звони.

— Я не помню телефон наизусть.

— Хорошо, где твоя записная книжка? Или он у тебя в мобильнике забит?

— Алька, ну что ты меня мучаешь? Мало тебе, что ты меня ножом ударила, так надо еще этот нож поворачивать в ране, да?

— Ах это я тебя мучаю? Я нож поворачиваю? Да еще какой пошлый, затертый образ! Я не обижаюсь на тебя только потому, что жалею. Ты, дура, влипла черт-те во что...

— Я не влипла, я влюбилась... страшно, смертельно, до потери пульса... Никогда ни с кем, слышишь, никогда и ни с кем мне не было так легко, просто, весело... у меня не было никаких тяжелых мыслей, я сразу ощутила такую радость жизни, какой никогда раньше не...

— А он оказался снохачом.

— Что?

— Он снохач, слыхала такое слово? Явление, знаешь ли, не новое, но если это уж такая охренительная радость жизни, то... Валяй, радуйся дальше, кто тебе запрещает? Можешь не волноваться, я язык за зубами держать умею. Радуйся на здоровье!

— Нет, теперь я не смогу. Не посмею уйти от Лешки... Бросить его ради отца, который тоже его бросил... Это двойное предательство... Даже тройное...

— Это еще почему?

— А Ниночка?

— Значит, просто бросить Лешку ради первого встречного трахальщика можно? Наплевать на Ниночкины с ним отношения тоже можно? А теперь нельзя?

— Теперь нельзя.

— Чушь собачья! Старомодное ханжество, предрассудки! Если ты так его любишь, плюй на все и торжествуй! В конце концов, Лешке вовсе не обязательно сообщать, что он его отец. Они могут никогда в жизни не встретиться.

— Нет, я не хочу так...

— А как ты хочешь?

— Я умереть хочу.

— Привет, приехали! Умереть от преступной любви — как романтично! Фу-ты ну-ты! Знаешь что, Туська, давай считать, что мы с тобой сегодня просто не виделись, я ничего не говорила! Забудь это как страшный сон. Вали в свой Прованс и будь счастлива.

— Ты правда думаешь, что это возможно?

— Почему нет, все в этой блядской жизни возможно.

— Я знаю, что делать!

— Интересно послушать.

— Я сейчас напишу ему письмо, а ты отвезешь его в гостиницу и отдашь портье.

— Ты в состоянии сейчас написать письмо?

— Я попробую. Коротенькое совсем.

— Что ж, может, это и вправду проще всего.

Туся пошла на кухню, захватив листок бумаги, села за стол и, ни секунды не думая, написала:

«Кирилл, я только что узнала, что ты отец Алексея. Я тебя люблю, наверное, мне будет тяжело, и, наверное, я не смогу без тебя жить, но все дальнейшее попросту невозможно. Это чудовищно и непереносимо для моей совести. Не надо меня искать, хотя я не собираюсь прятаться. Давай поставим точку. Туся».

— Алька, готово! — крикнула она.

— Да ты что? — вбежала на кухню подруга. — Уже? Круто! Можно прочитать?

— Читай, — пожала плечами Туся. Ей, как ни странно, стало немного легче.

— Да, я в жизни читала более изысканные послания, но ничего, краткость сестра таланта, так, кажется?

— В данном случае краткость сестра не таланта, а страха и отчаяния.

— Слушай, завязывай с мелодрамой! Страх, отчаяние... Не страх, а трах! Рассматривай эту историю как эпизод! Классный эпизод с классным трахом, и все. Остальное — мелодрама не лучшего пошиба. Даже, я бы сказала, с душком. Но, безусловно, не трагедия. Слава богу, спохватились вовремя. Ничего, Туська, не смотри так горестно, у тебя сейчас глаза точь-в-точь как у твоего Мамзика. Не горюй, подруга, все не так плохо. Есть муж, который тебя, безусловно, любит, даже если и бегает на сторону. Ничего, ты тоже сбегала, и вы квиты. У тебя потрясная свекровь, о такой можно только мечтать, хорошая квартира, офигительный котенок... Чего тебе еще надо?

— Того, что мне еще надо, уже не будет.

— Ну и правильно. Нам такой роман не нужен, он как-то отдает инцестом... Ну пошли, отвезу тебя домой и поеду в отель. А кстати, что там с абажуром?

— Я нашла... Нашла ткань, бахрому...

— Когда закончишь?

— А разве это срочно?

— Еще бы! Это уже вчера было надо! Перед Новым годом такая лампа улетит с песней!

— Хорошо, я завтра сделаю!

— Нет, ты прямо сейчас пойдешь домой и займешься. Работа лечит! Завтра вместе поедем и отдадим! Может, и новый заказ получим, если этот понравится. Поняла?

— Поняла, — кивнула Туся. Когда ею распоряжались достаточно властно, она подчинялась, видимо, сказывалась балетная дисциплина.

И действительно, войдя в квартиру, она сразу же достала абажур и принялась за работу.

Зачем я это делаю? Я ведь теперь не уйду от Лешки, не посмею просто. Я, правда, думала уйти от него еще и раньше... Но теперь... Нет, все-таки, наверное, уйду, но потом, когда пройдет время, когда это не будет связано с... Кириллом. Но какая Алька умная, сразу вычислила, кто он такой. Мне и в голову не вскочило... Наверное, все к лучшему... Он, видимо, плохой человек... Ниночку бросил с маленьким ребенком, не остановился, узнав, что я его невестка... Совсем, видно, не любит сына. И скрыл от меня... Он же понимал, что рано или поздно это выяснится, значит, на мои чувства ему наплевать. Да, так лучше... А то бросила бы все, уехала с ним в Прованс, а он потом дал бы мне коленкой под зад, когда я надоела бы ему, и еще попрекнул бы меня тем, что я плохая жена его сыну... Да, конечно, он совсем плохой человек. Один, как собака, живет в своем Провансе... Почему он уехал из Бразилии один? А может, там у него тоже есть сын, а у сына жена или девушка... И он ее тоже трахнул... Да, но про меня он ведь сначала не знал... Но потом-то узнал, и это ему не помешало... Если уж у него возникла такая невероятная неодолимая любовь ко мне, он должен был, нет, просто обязан был прийти и сказать... А он явился и как ни в чем не бывало решил продолжать роман... Да он скотина, самая настоящая скотина и трус. Нет, слава богу! — и она неумело перекрестилась три раза.

Тут Мамзик вдруг начал карабкаться по ее ноге.

— Ай, больно, что ты делаешь?

Она схватила котенка, прижала к себе.

— Маленький, Мамзинька, не буду я тебя переименовывать... Этот хренов мачо хотел придумать тебе взрослое имя. Пусть своего Маркиза переименовывает, правда? А ты мне и Мамзиком нравишься.

Вскоре позвонила Алька.

— Все, Туська, мосты сожжены. Я отдала ему письмо.

— Ему? — ахнула Туся.

— Да нет, портье. Я просто неверно выразилась. От смеха.

— Что тебя так рассмешило?

— Заеду сейчас! На абажур хочу взглянуть и расскажу!

Действительно, скоро Алька появилась с бутылкой шампанского.

— С ума сошла? Что ты собираешься праздновать? — испугалась Туся.

— Освобождение от мерзавца! Он мерзавец, Туська.

— Да, я тут подумала и тоже так решила.

— Наконец-то здравый смысл торжествует!

— Посмотри на абажур, пока не выпила. А кстати, ты же за рулем!

— Ни фига!

— То есть? — не поняла Туся.

— А у меня машина заглохла возле гостиницы. Ни тпру ни ну! Завтра поеду туда с механиком. Давай показывай абажур.

— Но тут только полработы...

— Хочешь сказать, что я целый дурак?

— Да ты что... Вот посмотри, этот платок я пущу на...

— Красиво, черт побери, а где такую бахрому добыла? Она старинная?

— Не старинная, а старая, но ведь красиво получается?

— Офигительно! По этому случаю мы дернем шампусика, и я поеду до хаты. А то мой тоже возникнуть может... К черту его. Давай выпьем, и я расскажу тебе жутко смешную сценку! Ну, за то, чтобы мы не осложняли любовью такую прекрасную вещь, как секс!

— Фу, Алька!

— Ладно, ты пей за что хочешь, а я именно за такую формулировку.

— Просто ты еще не поняла, что значит секс с любимым... — покраснев, пробормотала Туся.

— Ерунда, мелодрама! Ты когда с этим снохачом первый раз трахнулась, ты его любила, что ли? Ни фига! Но это тебя потрясло до основания. Просто в тебе еще масса предрассудков, Туська. Избавься от них — и тебе станет легче. Ну все! А теперь слушай. Отдала я письмо портье, а там ведь к выходу надо пройти по коридору.

— Да? Я не помню...

— Ну где ж тебе помнить... Так вот, выхожу я в коридор, а впереди меня вприпрыжку бежит мальчонка лет четырех. Хорошенький — сил нет. Вдруг он останавливается и говорит: «Извините, мадам!» Я спрашиваю: «За что ты извиняешься?» А он: «Я пукнул, мадам!» Я чуть не сдохла, но виду не подала и спрашиваю: «Пукнул? А что это такое?» Он посмотрел на меня с изумлением, потом вдруг натужился и громко пукнул. «Вот это называется пукнуть, мадам!»

Туся засмеялась.

— Я так и знала, что тебе понравится!

— Смешно, правда, — грустно кивнула Туся.

— Туська, слушай, где твое чувство юмора? Посмотри на ситуацию с иронией.

— Я и смотрю... с иронией... на всю свою жизнь. Я прожила ее так глупо, так бездарно...

— Не выдумывай!

— Нет, правда! Занималась балетом, мечтала стать великой балериной, но уже классе в шестом поняла, что великой мне не быть. Потом честно хотела стать просто хорошей балериной...

— Ты и была! — горячо воскликнула Алька.

— Нет, я была очень средней, даже ниже среднего... Я должна была все бросить, когда провалилась на конкурсе...

— Ничего себе провалилась! Третье место!

— Третье место — это провал! Но я же всю жизнь плыла по течению. У меня не было таланта, а только дисциплина... Как у Молчалина — умеренность и аккуратность... Этого мало для театра. И я ведь рано поняла все это, но продолжала тянуть лямку. Короче, в профессии я потерпела фиаско. И в личной жизни тоже... Полное... Ну и что теперь, когда мне почти сорок?

— Туська, ты дура!

— А я о чем? Конечно, дура, непроходимая дура.

— Слушай, кончай это депрессивное самобичевание. Ты охренительно интересная баба!

— Охренительно интересная старая баба, — уточнила Туся. — Да еще с молодым мужем, который давно смотрит на сторону.

— Ну так уйди от него, в чем проблема? Найди

себе какое-нибудь дело. Ты потрясно шьешь, да и абажуры...

— Кому нужны абажуры?

— Но мы еще не пробовали! Вот доделай этот, и мы поглядим! Хочешь, я найду тебе кучу баб с большими претензиями и не очень большими деньгами, и ты будешь им шить? Если получится, сможешь открыть свое ателье, а я буду твоим менеджером! Думаешь, я очень счастливая и удачливая? Ни фига подобного, но я же не впадаю в депрессуху, не лью слезы, а колочу лапками, глядишь, и будет масло...

— Так я тоже еще не утонула...

— Но собираешься!

— Да нет, я, скорее всего, буду и дальше плыть по течению... Жить как жила...

— Вот и умничка! Ничего, будет и на нашей улице праздник! Еще не вечер, Туська!

— Может, ты и права...

ЧАСТЬ ВТОРАЯ

Глава первая

Я изменяюсь как-то постепенно,
Пока иду сквозь зимнюю Москву,
Туманно, тихо, холодно, волшебно.
Ну надо же, я все еще живу.

Из песен Б. Абарова

Нина Михайловна возвращалась домой совершенно счастливая. Еще бы! В ее возрасте такой романтический Новый год был поистине подарком судьбы. И хотя погода в Москве была хуже некуда, ничто не могло испортить ей настроения. Она сразу отметила, что в квартире прибрано, значит, Туська, как всегда, не забыла о ней. Нина Михайловна привезла любимой невестке в подарок дивный янтарный браслет. Бросив вещи, она набрала номер. Трубку взял Алексей.

— Лешик, с Новым годам!

— Мама, наконец-то, ты знаешь, Туська пропала! — выпалил он единым духом.

— Как пропала? Куда? — растерялась Нина Михайловна.

— Если б я знал куда, я не сказал бы, что она пропала. Ее нет уже пять дней!

— Боже, что ты говоришь? Ты заявил в милицию?

— В милицию — нет, — чуть помедлив, ответил сын. — Но обзвонил все больницы и морги.

— Что за бред, почему в милицию не заявил?

— Дело в том, что... Она, по-видимому, взяла с собой кое какие вещи и... Мамзика.

Нина Михайловна замолчала, словно переваривая информацию.

— Но в таком случае это не называется «пропала», это называется «ушла»! Она от тебя ушла! Что у вас случилось?

— Мама, я сейчас к тебе приеду!

— Хорошо, приезжай.

— Ты меня покормишь, а то я тут...

— Вообще-то у меня холодильник пустой, но что-нибудь придумаю.

— Буду через полчаса, какое счастье, что ты приехала...

Нина Михайловна ужасно расстроилась. Если Туся ушла вот так, ничего не сказав и, видимо, не оставив записки, значит, Лешка что-то натворил и знает, что виноват. Поэтому и не заявил в милицию. Неужели этому браку пришел конец? Какая жалость! Хотя я с самого начала чувствовала — не получится у них. Туся слишком нежная и ранимая, а Алешка парень толстокожий, хотя, с другой стороны, противоположности иной раз прекрасно уживаются... Но странно, я остро ощущаю боль от этой потери... Да, для меня это потеря, мы с Туськой были не свекровью и невесткой, а подругами. Наверное, сейчас у меня уже и нет такой доброй подруги... Но куда она могла деваться и что с ней?

Звонок в дверь прервал ее грустные размышления.

— Мама!

Они обнялись. Ему плохо, поняла Нина Михайловна, очень плохо, обычно он зовет меня не мамой, а матерью.

— Ну что, что, Лешик?

— Мама, почему она это сделала?

— Ну, Лешик, тебя лучше знать. Вы поссорились?

— Да нет, все было хорошо... Ну, правда, я опоздал на Новый год, но не из-за этого же она ушла... Может, у нее кто-то был?

— Не замечала. Не думаю. А вот про твоих девок она мне говорила. А кстати, куда ты опоздал?

— Домой. А вообще, это ты во всем виновата.

— Вот новости! В чем это я виновата? — крайне удивилась Нина Михайловна.

— Если б ты не укатила в Новый год невесть куда...

— Извини, сын, но мы ведь не вмешиваемся в личную жизнь друг друга...

— Я и не вмешиваюсь, я просто констатирую факт. Если бы ты не уехала, не нарушила традицию, мы бы встречали дома, все вместе...

— А ну говори, что у вас вышло?

— Да, собственно, ничего. Она предложила встретить Новый год дома, вдвоем, я сперва подумал, что это будет тоскливо...

— И не преминул ей об этом сказать? — ужаснулась Нина Михайловна.

— Ну не впрямую... Я сказал, что Никита приглашает на дачу... А потом подумал и решил, что вдвоем будет лучше. Она обрадовалась.

— И что дальше?

— А дальше мне пришлось очень срочно мотануть в Киев. Самолет задержался, и вообще...

— Лешка, ты врешь мне.

— Ну, мать, ты же понимаешь... должна понимать... мужики не моногамны... ну заехал я к одной, думал — успею, а на обратном пути машина сломалась.

— Но позвонить ты мог?

— Я звонил... У меня мобильник разрядился, ну непруха такая была. Я ж не думал, что она возьмет и смоется. Значит, было к кому...

— Она записку не оставила?

— Нет. Ничего. Только елку и накрытый стол.

— Ох, бедная Тусечка... Ты ее хочешь найти?

— Да, конечно, что ты, мама! Я вдруг понял, что без нее все хреново... Думаешь, я не искал? Обзвонил всех ее знакомых, смотался за город к этой сумасшедшей старухе из оперетки. Никто ничего... Только гнусная баба с первого этажа сказала, что Туся ушла ночью с сумкой на колесах и с каким-то абажуром.

— С каким абажуром? У вас пропал какой-то абажур?

— Бред сивой кобылы, ничего не пропало. Только вещички и Мамзик. Кстати, то, что она взяла Мамзика, немного успокаивает. Значит, она куда-то пошла... Куда-то, где можно поселиться с котенком... К кому-то...

— А на ее квартиру ты ездил?

— Первым делом помчался. Но там жильцы сказали только, что она их предупредила...

— О чем?

— Ну что собирается сама там жить... И дала им два месяца, чтобы подыскали себе новое жилье...

— Что? Прямо в новогоднюю ночь предупредила?

— Я так вопрос не ставил... — растерянно пробормотал Алексей.

— Значит, она подготавливала себе пути к отступлению... — задумчиво проговорила Нина Михайловна. — И когда ты оставил ее одну в новогоднюю ночь...

— Да ладно, если она готовила пути, значит, просто ждала повода... Видно, у нее кто-то был... ну и ладно... Не хочет, как хочет, в конце концов насильно мил не будешь, — вдруг разозлился он.

Мать смотрела на него с укором.

— Дурак ты, Лешик.

— Почему это?

— А ты в курсе, что какая-то из твоих баб донимала ее чудовищно хамскими звонками? Она тебе не говорила?

— Говорила, — отмахнулся он. — Я ей объяснил, что одна тварь мстит мне таким образом.

— Ну ладно, это все дело десятое, но Тусю надо найти. Она чудная баба и хорошо на тебя влияла. Боюсь, без нее ты снова превратишься в того наглого хама, каким был со своей Верой.

— Мать, — сказал он после недолгой паузы, — я почему-то боюсь... за нее... Она же неприспособленная... Может пропасть...

— Тебе бы пораньше об этом подумать, друг ты мой.

— Знаю, я виноват, я сволочь, все понимаю, но что делать-то?

— Думаю, подождать. Она должна как-то проявиться... Мне может позвонить... Не думаю, что она просто плюнет на наши с ней отношения. Она знает, что я должна приехать сегодня...

— Мать, если она позвонит тебе, скажи ей, что я... Что я жутко жалею обо всем, и вообще... Скажи, мне без нее плохо.

— Скажу, так и быть.

— Надеюсь, у нее хватит ума... И потом, Мамзик... Его она точно не бросит.

— Но она может пристроить его в хорошие руки, а сама... Черт, всякие дурацкие мысли в голову лезут... — Ты Альке звонил?

— Конечно. Она не в курсе. Страшно удивилась.

— Ну она могла и разыграть удивление...

— Да нет, там Владька был...

— Вероятно, глупо спрашивать тебя, не замечал ли ты за ней в последнее время ничего странного...

— А знаешь, она вдруг как-то жутко похорошела...

— Тебя это смутило?

— Да как сказать... В тот момент нет, а сейчас я задумался...

— Как всегда, крепок задним умом.

— Мать, я же занят как... Некогда мне задумываться, отчего жена вдруг похорошела. Мало ли... Крем новый, косметолог... Ваши бабские штучки.

— И даже в голову не пришло, что у нее мог кто-то появиться?

— Почему? Я мог предположить... Но, честно

говоря, не верил, нет... У нее молодой муж, зачем ей? Она же по натуре не блядь.

— Да, в вашей паре блядь — ты.

— Скажешь тоже, — поморщился сын. — Просто я нормальный мужик. Скажи лучше, что делать?

— Ничего. Жить без Туськи. Меня это страшно огорчает, но в конце концов это не смертельно.

— Знаешь, тошно приходить в пустую квартиру... Даже Мамзика нет. Я к нему привязался.

— Заведи другого кота, не проблема. Да и баб, желающих занять Тусино место, думаю, хватает...

— Ты не понимаешь... — сокрушенно покачал головой Алексей.

— Понимаю, все понимаю. В тебе говорит уязвленное самолюбие. Если бы ты любил Туся, не мотался бы по низкопробным девкам.

— Какое отношение это имеет к любви?

— Тем более!

— Ладно, мать, я пойду. Мне всегда казалось, что ты все понимаешь, но вы, бабы, все одинаковы.

— Ну, если все одинаковы, так чего расстраиваться?

Он только безнадежно махнул рукой и ушел. Хотелось напиться. Но хватило ума не поддаться настойчивому желанию. Когда он вошел в квартиру, сразу раздался звонок в дверь. Он вздрогнул.

— Алексей Кириллович, вот...

За дверью стояла соседка по площадке, держа на руках... Мамзика, грязного, исхудавшего, с уже совершенно трагическими глазами. — Ведь это ваш?

— Мой! — закричал Алексей. — Где вы его нашли?

— У подъезда мяукал. Я вспомнила, что Туся в

новогоднюю ночь просто с ног сбилась, искала его. Она дома?

— Нет, она уехала в Питер, к подруге. Спасибо вам огромное, мы так расстраивались. Иди ко мне, шлендра! Куда тебя понесло? Еще раз спасибо!

— Да не за что.

В глазах соседки читалось явное недоверие и жуткое любопытство. Видимо, разговоры о Тусином бегстве уже бродили по подъезду.

Значит, в новогоднюю ночь пропал не только муж, но и котенок... И она пришла в отчаяние... Но куда она могла податься?

Первым делом он вымыл котенка, который даже не сопротивлялся, а сидел в раковине, терпеливый и благодарный. Алексей вытер его и понес на кухню кормить.

— Ешь, гулена, но не надейся на добавку, а то тебе плохо станет, вон как исхудал...

Но Мамзик и не просил добавки. Поев, он слегка умылся и на заплетающихся лапах побрел в прихожую. Алексей подхватил его, уложил на кресле и прикрыл махровым полотенцем.

— Спи, бродяга.

Затем позвонил матери и рассказал о возвращении блудного котенка.

Нина Михайловна огорчилась еще больше.

— Лешик, не знаю теперь, что и думать... Может, наймешь частного детектива, а?

— Частного детектива? Зачем? Чтобы убедиться, что она не покончила с собой? Но когда хотят свести счеты с жизнью, не берут с собой вещи... Просто надо признать, что она меня бросила... Наверное, чтоб меня опередить... У нее была навязчивая идея, что я моложе... что у меня непременно появится молодая девчонка... Ну что ж, может, все и к лучшему. А Мамзик теперь со мной. Уже не так кисло будет возвращаться в квартиру. Что ж, будем жить.

Он страдает, он ужасно страдает, подумала Нина Михайловна. Она тоже чувствовала себя несчастной. Исчез человек, которого она любила, считала близким, надежным другом... Ей некому было сейчас рассказать о счастливых днях, проведенных в Риге. И она заплакала.

Прошло около месяца, и как-то вечером в квартире Нины Михайловны раздался звонок в дверь. Она никого не ждала.

— Кто там?

— Нина, открой!

— Кто это?

— Кирилл!

— Господи боже мой, откуда ты взялся? — спросила она из-за двери, охваченная бурей противоречивых чувств.

— Ну не на лестнице же мне объяснять, — раздраженно бросил он.

Она распахнула дверь.

— Кирка, ты? С ума сойти! Вот уж не ожидала! Вспомнил о сыне, что ли?

Как он изменился, как постарел, но и я ведь постарела... Нет, он еще хорош, только глаза какие-то несчастные...

— На улице так метет, я отвык... Ниночка, я рад тебя видеть, ты прекрасно выглядишь... Нина, у меня к тебе разговор, он будет ужасным, я знаю, но помочь мне можешь только ты... Я прекрасно понимаю, что обращаться с этим именно к тебе просто безумие, цинизм, черт знает что такое, но у меня нет выхода...

— Да что случилось? Откуда ты вообще взялся?

— Нина, я виноват перед тобой и сыном...

— Вспомнила баба, як дивкой была... Все быльем давно поросло, Кирюша. Сын вырос без тебя и никогда даже не вспоминает, что у него был отец. А ты решил на старости лет прощения просить? Зачем?

— Нина, та вина и впрямь уже быльем поросла, но, видимо, судьбе было угодно наказать меня, и очень жестоко... за легкомыслие молодости... И моя вина усугубилась безмерно... Но это было сильнее меня...

— Да что ж это такое? Говори толком, как еще ты смог провиниться передо мной и сыном?

— Я на старости лет полюбил... по-настоящему, безумно, я сопротивлялся как мог... Нина, я пришел, потому что знаю, что не был твоей великой любовью, и знаю твердо, что ты по-настоящему добрый и великодушный человек, не отягощенный дурацкими предрассудками...

— Кирилл, может, тебе надо выпить, чтобы наконец связно рассказать все? А то я ничего не пойму. Какое мне в конце концов дело до твоей поздней любви, а? Ты пришел исповедаться? Так я не отпускаю грехи... Или отпускаю заранее. Ты вообще-то здоров?

— Да-да, я здоров... Просто я... Нина, я полюбил твою невестку...

— Какую невестку? — ошалело пробормотала Нина Михайловна.

— Тусю. А она исчезла, и я не знаю, где ее искать...

Нина Михайловна замерла.

— Что ты сказал?

— Ровно то, что ты услышала. Я люблю Тусю, я не могу без нее, а она исчезла. Помоги мне ее найти... Я пытаюсь хотя бы вылепить ее портрет, но лицо ускользает... Нина, помоги мне... Я в отчаянии.

— Да уж, если ты пришел с этим ко мне, то действительно... в отчаянии, — со злой усмешкой сказала она. — Но где ты с ней познакомился? Влюбиться в нее, конечно, немудрено, но это уж чересчур...

— Нина, ты знаешь, где она?

— Понятия не имею. Она исчезла. Видимо... А она тоже в тебя влюбилась?

— Да.

— О, теперь многое становится понятным... Но как? Откуда ты ее знаешь?

— Это чистейшая случайность... Зачем тебе подробности?

— Нет уж, подробности мне и в самом деле ни к чему, уволь. И как у тебя хватило наглости явиться ко мне?

— Это была моя последняя надежда.

— А Туся знает, кто ты?

— Сначала... мы оба ничего не знали, нас бросило друг к другу... Потом я понял, кто она, и сбежал, позорно сбежал, отлично понимая, что наша связь попросту невозможна, преступна... Я уехал, надеялся, что расстояние... Но нет. Я сходил с ума... И вернулся к ней...

— Ну да, ведь сын для тебя — абстракция.

— Нина, пощади...

— Щадить тебя? С какой стати? Мало того что ты бросил сына в двухлетнем возрасте, так теперь ты увел у него жену... Как прикажешь к тебе относиться?

— Ну воля твоя... я признаю свою вину полностью.

— А что толку от твоих признаний? Значит, Туся спуталась с тобой... И ты ей все рассказал?

— Нет, я не решился... Но она, видимо, догадалась... и прислала мне письмо, что не желает больше меня видеть... Я было смирился, но... Я опять уехал, думал, что работа отвлечет... Но все валится из рук... Я звонил ей... но она исчезла.

— И ты не придумал ничего умнее, как заявиться ко мне?

— Да, именно так. Ничего умнее не придумал, — жестко произнес он. — Я знаю, что вы с ней очень дружны, и я подумал, что тебе она сообщит...

Он совершенно раздавлен, подумала Нина Михайловна. Но, кажется, действительно любит Туську... Да, переплет...

— И тебе совсем неинтересно увидеть сына?

— А как я смогу смотреть ему в глаза, по-твоему? — рассердился он. — Знаешь, я все осознаю, но... Нина, неужто ты забыла, что такое любовь, страсть, наконец? Нина, ну прояви великодушие, мы с тобой уже немолоды, и я знаю, что у тебя тоже роман... Вероятно, есть женщина, которой ты тоже перебегаешь дорогу...

Нина Михайловна вспыхнула:

— Но она не моя дочь!

— Нина, Ниночка, что с тобой? Отбрось эти мещанские предрассудки, к великому сожалению, ты была права, что Алешка... в известной степени абстракция для меня, так уж сложилось... Но и я для него тоже... Туся... она...

— Не говори мне об этом, я не могу... Это чудовищно! И ты хочешь, чтобы я помогла тебе ее найти? Для чего, скажи на милость?

— Я женюсь на ней. Нина, ты не думай, если ты сохранишь эту тайну, Алексей ничего не узнает, я увезу ее далеко отсюда, у меня теперь другая фамилия, никто и никогда не узнает... Она говорила, что он ей изменяет, так, может, для всех так будет лучше? Нина, где она?

— Я не знаю.

На его лице отразилась такая мука, что ей стало его жалко.

— Я правда не знаю, — смягчилась она. — Мы с Алешкой искали ее... Но не нашли.

— И смирились, да?

— Я хотела, чтобы Лешик нанял детектива, но он не стал...

— Ему на нее наплевать!

— Неправда. Просто он чувствует, что она его бросила. Только не знает, ради кого. Его счастье. А ты сломал ей жизнь. Вот так вот, Кирюша.

— Я должен ее найти. Я сам найму детектива.

— Нет!

— Почему? Ты не можешь мне запретить!

— Но я могу тебя попросить и, учитывая то, что произошло... Лешка заметная фигура в Москве, и если станет известно...

— А если с ней что-то случилось?

— Вряд ли с ней может еще случиться что-то хуже того, что уже случилось. Она хороший, совестливый человек, и перенести подобное ей будет сложно. Надо оставить ее в покое.

— Немыслимо. Это просто немыслимо. У тебя есть что-нибудь выпить?

— Коньяк пойдет?

— Пойдет.

Нина Михайловна достала из холодильника бутылку коньяка.

— Нина, кто же держит коньяк в холодильнике? — скривился он. — Это кощунство.

— Тебе ли говорить о кощунстве?

— Не будь дурой, — взорвался он. — Ладно, я пойду, нам не понять друг друга.

— Да уж, действительно, иди. Знаешь, я почему-то считала, что когда-нибудь, на старости лет, ты объявишься, захочешь увидеть сына и сможешь им гордиться...

— Я и хотел! Я пришел тогда, в день твоего рождения, чтобы увидеть тебя и сына... А встретил Тусю... Значит, не судьба... ну, я пойду!

— Подожди...

Он удивленно взглянул на нее.

— Ты где был все эти годы и почему сменил фамилию? Ты нарушил закон?

Он усмехнулся:

— Нет, я не нарушал закон... Просто я... Но, впрочем, это долгая история. Прощай, Нина. Я оставлю тебе свою визитку, так, на всякий случай. Если ты что-то узнаешь о... ней и у тебя хватит великодушия, позвони...

Он быстро оделся и ушел.

На улице мело. В свете фонарей переулок выглядел совсем как в детстве. В соседней подворотне целовалась юная парочка. Прошла группка парней, в их речи не было ни одного цензурного слова. Он поморщился, хотя отнюдь не был ханжой, просто в устах этих юнцов мат звучал непереносимо даже для видавшего виды пожилого мужика. Но тут же он вдруг блаженно улыбнулся. Давно я не слышал мата... И вообще, его как ребенка удивляло, что все вокруг говорят по-русски. Я должен ее найти. И до конца дней своих, пусть и в Провансе, говорить на родном языке, это такое блаженство... На него вдруг снизошло успокоение. Мне уже много лет, под шестьдесят, но это еще далеко не конец. Даже в этом возрасте что-то хорошее случается впервые. Я полюбил... Да, впервые, по-настоящему... оказывается, никогда не поздно. И пусть я снохач... Пусть это непристойно, предосудительно... Он пытался подобрать другие русские синонимы, но в голову лезли португальские, английские, даже французские... Черт знает что, с веселой злостью подумал он. Я забываю родной язык... Плохо, нехорошо, отвратительно, мерзко, гнусно, погано, ужасно, чудовищно... Словно открылись шлюзы, и синонимы хлынули потоком. Подло, нечистоплотно, омерзительно. Он шел и буквально захлебывался в потоке этих осуждающих слов, снег бил в лицо, он слизывал его с губ и чувствовал себя пьяным и счастливым. Я найду ее во что бы то ни стало, я упрошу, умолю, уговорю, уболтаю, заставлю, наконец, выйти за меня. Она ведь тоже любит меня, и никуда ей от меня не деться, она просто очень зажата, она хорошо усвоила правила приличия, она точно знает, что хорошо и что плохо. Крошка сын к отцу пришел... Нет, про сына не будем! Моя маленькая балерина... Еще не моя? Да нет, моя, со всеми потрохами, я убежден в этом. Надо только ее найти, но как? Найду, придумаю что-нибудь... Я же ее люблю... Как странно, никогда в жизни я не говорил себе: я люблю эту женщину. Никогда. И вот дожил... Но ведь дожил же! А какие там синонимы есть? Люблю, обожаю, боготворю, преклоняюсь... Нет, это неверно... Я не преклоняюсь перед ней и не ощущаю никакого превосходства. Я просто люблю ее. И она меня. Мы на равных, и это такое счастье... Как снег, как поток русских слов, как вот этот пожилой человек, вышедший в такую погоду с собакой. А собака-то обычная русская дворняжка... Симпатичная, хвост кренделем... Туся спрашивала про собаку, вот такую и заведем. Надо подобрать на улице бездомную дворнягу и увезти ее с собой в Прованс, пусть московская дворняга тоже будет счастлива!

Глава вторая

У разбитого корыта
Артишоки не закажешь...

Из песен Б. Абарова

Нина Михайловна в изнеможении сидела на сту-
ле посреди комнаты. Эта тайна, которую надо во что
бы то ни стало сохранить, наполняла ее ужасом.
Бедный Лешик! Если он узнает... Но от кого он может узнать? От меня — никогда. От Туськи — вряд
ли. Больше, кажется, никто не знает. Но как трудно
эту тайну хранить. А поделиться все равно не с кем.
Закадычная надежная подруга Рая умерла несколько лет назад, и с тех пор ближе Туськи у меня никого не было. Мстиславу Сергеевичу рассказать, вероятно, можно, и он не разболтает, однако в ответ тут
же расскажет сам какую-нибудь похожую историю.
Он не очень умеет слушать. При первой же ассоциации, которая возникает у него в мозгу, он начнет с

нетерпением ждать окончания моего рассказа, не очень-то даже и вслушиваясь, чтобы приступить к своему. Ах, как мало осталось людей, способных вести диалог, каждый слышит только себя. Вот Туська умела слушать. В ее глазах всегда читалось неподдельное сочувствие, заинтересованность. А Лешка слушать совсем не умеет. И, наверное, начни я рассказывать ему об отце, он махнет рукой и скажет: «Кончай, мать, эту бодягу. Я уж лет тридцать как смирился с тем, что я безотцовщина, так что не надо разводить трагедии по этому поводу. У меня вместо папаши был дед, чем плохо? А вот ты в курсе, что...» — и дальше последуют рассказы о политике, криминале, о зажиме свободы слова, о чем угодно, только не о том, что волнует тебя в данный конкретный момент. Вот от дочери, наверное, можно было бы дождаться большего понимания. Я считала Туську своей дочкой и подружкой... И даже, как ни стыдно в этом признаться, она куда ближе мне, чем собственный сын. Бедная, каково же ей было узнать, что мужик, с которым она спуталась, ее свекор... И все-таки куда она могла деваться? Тут Нину Михайловну посетила одна идея. Интересно, а в Питер Лешка звонил? Там ведь у нее живет подруга Надя!

— Алло, Лешик, это я!

— Мама, я сейчас очень занят!

— Только один вопрос.

— Ну?

— Ты Наде звонил?

— Какой еще Наде?

— Тусиной питерской подруге?

— Разумеется, звонил. Это все?

— Да.

Он положил трубку.

Так я и знала. Лешка ведь такой — позвонил, спросил, не там ли Туся, и, услышав «нет», удовлетворился ответом. А ведь Туся могла попросить подругу не говорить, где она. Я сама ее найду. От меня так легко не отделаешься. Да, я должна ее найти, потому что Туська вполне может с горя и с перепугу натворить глупостей. А Лешка не пропадет. Но у меня нет телефона этой Нади. Я и фамилию ее не помню, знаю только, что преподает в Вагановском... Я лучше сама поеду в Питер! Я давно там не была, вот заодно и побываю. Но сначала я встречусь с Алей. И съезжу к полоумной Татьяне Реджинальдовне. Впрочем, Туська всегда сердилась, когда старуху называли полоумной. Это тот минимум, который я могу сделать сейчас.

Она нашла телефон Влада, старого Лешкиного приятеля, мать которого Нина Михайловна знала еще со времен Строгановки.

— Нина Михайловна? — удивился Влад. — Рад слышать. Что-то случилось с Лешкой?

— Боже сохрани. У меня просто есть один вопрос, чисто женский, к твоей жене.

— Сию минуту позову.

— Алло! — довольно мрачно отозвалась Аля.

— Алечка, детка, ты случайно не знаешь, где Туська?

— Сама бы хотела узнать.

— Аля, я понимаю, что ты скрыла это от Лешки, но мне ты можешь сказать? Я ей не враг.

— Да вы что, Нина Михайловна, вот чем хотите поклянусь! Ничегошеньки не знаю!

— Аля, давай все-таки встретимся, а?

— Да я правда ничего не знаю. Она как в воду канула!

— И тебя это не беспокоит?

— Еще как беспокоит! Она меня тоже здорово подвела.

— Скажи, а ты можешь себе представить, куда она могла податься?

— Нина Михайловна, простите меня, но сейчас я говорить не могу, Владу срочно нужен телефон... Давайте, я к вам завтра с утречка заеду...

— Отлично, буду ждать.

Вероятно, она что-то знает, просто не хочет говорить при муже. Туська как-то обмолвилась, что у них не самые лучшие отношения. Ну что ж, подожду до утра.

Алевтина была твердо уверена, что Туська все-таки смылась со своим любовником, свекром. Такая уж у них неземная любовь и страсть нарисовалась, что крышу начисто снесло. К тому же Туська поступила не по-товарищески. Сама отвезла Жоржику абажур. Он ей, правда, еще не заплатил, только вернул стольник, взятый в залог за лампу карельской березы. Если бы она была в Москве, наверняка уж явилась бы за деньгами. Дело в том, что лампа с новым абажуром улетела, что называется, с песней. Жоржик требует, чтобы они сделали еще несколько абажуров, но без Туськиных золотых рук у нее вряд ли что получится. Придется искать еще кого-то, но разве так быстро найдешь? Аля была сердита на подругу.

— Здравствуй, Алечка, — приветствовала ее Нина Михайловна, — заходи. Кофе будешь?

— А можно лучше чаю, зелёного, а?

— Да ради бога! Аля, скажи, ты и вправду ничего про Тусю не знаешь?

— Где она — точно не знаю! Знаю только, что у нее мужик завелся, вы уж извините, Нина Михайловна. Думаю, она с ним и слиняла. Только как-то не по-людски, могла бы хоть вас предупредить, правда же?

Интересно, она в курсе, кто именно этот мужик? —подумала Нина Михайловна.

Кто этот Туськин мужик, я говорить не стану. Это уж чересчур, свекруха может окочуриться от потрясения, решила Аля.

— Я так и думала, — довольно спокойно кивнула Нина Михайловна. — Дело житейское.

— И это говорит свекровь? — удивилась Аля.

— Свекровь не обязательно должна быть тупой. Мой сын тоже не образец верности.

— Ну надо же! Туське так повезло, а она...

— Ладно, Аля, это общие рассуждения, давай ближе к делу.

— Вы о чем?

— У тебя есть какие-нибудь версии, кроме бегства с мужиком?

— Другие? Нет, других нету, — растерянно пробормотала Аля. — А почему?

— Потому что я точно знаю, что она не с ним.

— Ну ни фига себе... — не на шутку перепугалась Аля. — Но откуда вы это знаете?

— Он приходил ко мне, искал ее.

— Приходил к вам? — вытаращила глаза Аля.

Она знает, решила Нина Михайловна. И уже пожалела, что затеяла этот разговор.

— Представь себе, — довольно сухо сказала она. — Мы это обсуждать не будем. И я очень рассчитываю на твое молчание.

— Богом клянусь, никому ни звука. Но тогда выходит...

— Тогда выходит, что с ней либо что-то стряслось...

— Либо у нее есть другой мужик.

Нина Михайловна метнула на нее такой взгляд, что Аля невольно съежилась и пробормотала:

— Ну не обязательно любовник, может быть, друг... приятель, просто знакомый... А вы к этой опереточной старухе не обращались? Я точно знаю, что Туська незадолго до Нового года к ней ездила...

— Лешка у нее был.

— А вообще-то Туська могла и глупость какую-нибудь сделать, она в таком отчаянии была... — вспомнила Аля и тут же поняла, что сморозила глупость.

— В отчаянии? Отчего? Когда это было? Говори, не бойся, ты уж верно поняла, что я в курсе всей этой идиотской истории.

Але пришлось все рассказать.

— Аля, я очень волнуюсь! Мне страшно.

— Мне теперь тоже. Что делать будем?

— Понятия не имею, но сидеть сложа руки нельзя. Что, если ей нужна помощь? Если вообще...

— Если вообще она жива? — довела до логического конца ее мысль Аля.

— Типун тебе на язык!

— Нина Михайловна, а что Лешка?

— А что Лешка? Сначала он обиделся, разволновался, а потом, когда нашелся Мамзик, как ни странно, успокоился. Я, наоборот, пуще разволновалась, а он — нет. Странно, да? И потом, у него есть кто-то...

— Вы думаете, он не любил Туську?

— Любил, насколько он вообще на это способен. Но он с детства ненавидит чувствовать себя виноватым, а тут Туся своим уходом дала ему понять, что он виноват... Он ведь не знает, в чем дело. И не должен узнать никогда.

— Богом клянусь!

И они еще долго переливали из пустого в порожнее. Потом вдруг позвонил Алексей.

— Мать, как дела?

— Что это ты звонишь в рабочее время?

— Хочу вечером заехать к тебе с одной... девушкой. — Он как-то шкодливо хихикнул (по крайней мере, так показалось Нине Михайловне). — Ты не против?

— Заезжай, только мне некогда готовить.

— Не вздумай, мы сами все привезем.

Повесив трубку, она растерянно обернулась к Але.

— Он приведет свою девушку...

Аля расплакалась.

— С глаз долой — из сердца вон... А что, Нина Михайловна, с другой стороны, это же здорово!

— Почему? — удивилась Нина Михайловна.

— Значит, он вовсе не убит горем. И тогда Туська не так уж перед ним виновата. И если она... жива...

— Не смей так даже думать!

— Нет, вы не так поняли... Просто когда мы ее найдем... Ей будет легче...

— Пожалуй, ты права, — задумчиво проговорила Нина Михайловна.

— Знаете что, а давайте обратимся к частному детективу? Для профессионала ее найти будет раз плюнуть!

— Я уж думала об этом, даже выписала два объявления, но хочу сперва справиться у Нади. Ты ее знаешь?

— Нет, ни разу даже не видела. Это питерская?

— Да. Лешка, правда, ей звонил...

— А вы ей еще не звонили?

— У меня нет ее телефона. Я даже думала съездить сама в Питер...

— Да ну, только время терять. Просто найдем детектива и дадим ему все адреса и телефоны. Только это дорого, наверное.

— Ничего, есть человек, который с радостью заплатит...

— Нина Михайловна, миленькая, раз уж пошел у нас такой разговор, скажите мне, ради всего святого...

— Что ты хочешь услышать, Аля? — загадочно усмехнулась Нина Михайловна.

— Вы так легко ко всему этому относитесь? Но ведь это же трагедия!

— Да нет... скорее уже комедия дурного вкуса... и если сохранить все в тайне...

— То есть вы бы не возражали, чтобы Туська сошлась с этим человеком и уехала с ним в Прованс? Да? Но это же дико!

— Дико? Может быть... Но если там и вправду любовь? Если они будут счастливы?

— Вы верите в это?

— Черт его знает... Понимаешь, уже одно то, что он решился в этой ситуации явиться ко мне, признаться во всем и попросить помощи... Это само по себе уже совершенно невероятно, зная его характер... Невероятно!

— И вы не... ревнуете?

— Ревную? — искренне удивилась Нина Михайловна. — Кого и к кому?

— Ну я не знаю... всех ко всем...

— Да нет, пожалуй. Поначалу мне было обидно за Лешку. А потом я подумала и решила, что, если бы Кирилл тогда не ушел, я сама ушла бы от него через годик другой. Наш развод был все равно неизбежен. И я рада, что Лешку воспитывал мой отец, а не Кирилл. Он был слишком молод тогда, не перебесился еще... И, надо сказать, благодаря папе Лешка не испытывал недостатка в мужском влиянии. Мой папа — капитан дальнего плавания, военно-морская косточка. Лешка обожал его, так что... И пусть он, может быть, не самый идеальный человек, но в руках Кирилла мог бы стать куда хуже.

— Вы его, Кирилла, что ли, не любили?

— Как показало доигрывание — нет.

— Да, Туська часто говорила, что вы необыкновенная... Ну надо же...

Когда Аля ушла, до глубины души потрясенная и взволнованная, Нина Михайловна вынула из ящика визитку бывшего мужа. «Кирилл Сотомайор». Что

ж, из обычной фамилии Майоров получилось нечто вполне латиноамериканское... Интересно, он
просто хотел раствориться где-то или это фамилия
латиноамериканской жены? Однако адрес на ви-
зитке значился французский. Господи, до чего же
прихотливы людские судьбы. Она знала, что вскоре после развода Кирилл женился на ослепитель-
ной красавице польке и уехал с ней в Краков. Больше она о нем ничего не знала. Странно, что во всей
этой не слишком красивой любовной истории
меня больше всего волнует судьба Туськи. Лешка
обойдется без нее... Нет, я все-таки абсолютная идиотка — собираюсь искать бывшую невестку, чтобы...
Чтобы что? Уговорить ее выйти замуж за свекра?
Бред собачий! И зачем мне это нужно? Вот она же
не вспомнила обо мне, не предупредила, что уходит... Знает, мерзавка, что я волнуюсь, и молчит.
Стыдно ей, наверное. Это хорошо перед глупова-
той Алькой строить из себя благородно-невозму-
тимую женщину... А на самом деле... А что на самом
деле? Как это ни дико, но я на самом деле хочу ее
найти. Просто чтобы убедиться, что она жива-здорова и сказать, что я уже все знаю... И, черт побери,
сочувствую ей. А у Лешки вон уже завелась новая
девица. Может, надо было бы хоть что-то пригото-
вить? А, не буду... Лень... И неизвестно еще, что за
девица...

Девица Лика оказалась совсем молоденькой, лет
двадцати двух, хорошенькой как картинка и даже
довольно милой. Она очаровательно стеснялась,
сидела, потупив глазки и краснея, почти ничего не

говорила и то и дело выказывала готовность помогать по хозяйству. Нина Михайловна была приятно удивлена. В какой-то момент Лика вскочила, собрала грязные тарелки и побежала на кухню. Вскоре оттуда донесся шум воды. Посуду моет!

— Ну как, мать? — шепотом спросил Алексей.

— Лучше, чем я ожидала. Ты что, намерен на ней жениться?

— Да нет, пока так поживем... К тому же я, если ты помнишь, женат.

— А если приспичит жениться?

— Тогда найду...

Нина Михайловна вспыхнула.

— То есть ты хочешь сказать, что Туську ты не искал?

— Искал по мере сил...

— А Лику ты давно знаешь?

— Да уж полгода или больше.

— Да? Интересно.

— Что интересно? — нахмурился Алексей.

— Не она ли случайно организовала те звонки Тусе?

— Что за бред, мать? Она из хорошей семьи... и вообще.

— Будем надеяться. Лешик, ты ее любишь?

— Мать, я тебя умоляю! — поморщился Алексей. Нине Михайловне стало неприятно. Она не любила в сыне цинизма. С Тусей он не был таким циником. Она хотела спросить сына о чем-то еще, но тут вернулась Лика и, скромно потупив глазки, сказала:

— Ничего, что я поставила чайник?

Когда они ушли, Нина Михайловна с грустью подумала: да, эта девушка уж точно мне подружкой не станет. Но ведь и с Туськой, если я ее найду, тоже уже не будет по-прежнему. Она вдруг остро ощутила свое одиночество. Друзей-приятелей и приятельниц много, а по-настоящему задушевной подружки ни одной. Вдруг безумно захотелось позвонить Мстиславу Сергеевичу, но нельзя. Он женат, у него своя жизнь. Да что это я разнюнилась в самом-то деле? Завтра с утра займусь поисками Туськи. И гори оно все синем пламенем, даже если она сойдется с Кирюшкой, почему мы не сможем сохранить наши отношения? Потому что он отец Лешки? Да какое это имеет значение в данном случае? Разве он ему отец?

И тут зазвонил телефон.

— Алло!

Молчание...

— Алло, говорите, я вас слушаю!

Опять молчат.

— Туся, это ты? Туся, не молчи, откликнись, ради бога, я же волнуюсь, дурища ты эдакая!

На том конце провода всхлипнули.

— Ниночка! Простите меня!

— Да что за глупости? Где ты, что ты? Зачем прячешься?

— Ах, Ниночка, если б вы знали!

— Да знаю я все! Знаю! Приходил он ко мне!

— Кто? — испуганно спросила Туся.

— Как кто? Кирилл! И все мне рассказал. Туся, деточка, он тебя, кажется, и вправду любит...

— Это ужасно... это все ужасно! Ниночка, я только хотела сказать — вы не волнуйтесь, я жива-здорова и пытаюсь начать новую жизнь. Не ищите меня и ему скажите... Когда смогу, я свяжусь с вами. Если Леше понадобится развод, пусть скажет вам, а я буду раз в месяц вам звонить...

— Туська, брось это, я хочу тебя видеть...

Но в трубке уже слышались короткие гудки.

— Дурища, вот дурища... — пробормотала Нина Михайловна, кляня себя за то, что так и не купила телефон с определителем.

И снова раздался звонок.

— Алло!

— Ниночка, пожалуйста, умоляю вас, скажите ему, пусть уезжает. Я не смогу... я не хочу...

И опять короткие гудки.

Час от часу не легче! А голос какой несчастный. Нина Михайловна ясно представила себе зареванное, подурневшее Туськино лицо, припухшие дрожащие губы и глаза такие же горестные, как у Мамзика...

— Идиотка, дурища!

Господи ты боже мой, думала Туся, он осмелился прийти к Ниночке и во всем признаться! А она еще волнуется из-за меня и, похоже, сочувствует. Это все не укладывается в моей несчастной голове. Два самых близких и любимых человека — свекровь и свекор... Чудовищно, лучше забыть об этом. Я начала новую жизнь, и слава богу. Теперь я должна думать о куске хлеба, должна как-то научиться жить одна. Я и учусь. И я еще везучая. У меня есть работа и крыша над головой. Это пока я снимаю комнату, но скоро мои жильцы съедут, и тогда...

— Наташенька, вы не спите? — постучала к ней соседка, немолодая женщина, снимавшая вторую комнату в двухкомнатной квартире.

— Нет, Светлана Сергеевна, заходите.

— Наташенька, мне тут конфеты вкусные подарили, может, чайку попьем?

— С удовольствием. А у меня крекеры есть.

— Вы плакали?

— Так, немножечко...

— Не плачьте, Наташа, вы еще молодая, что такое сорок лет? Ерунда, можно сказать, лучшее время... И вы работаете в мужском коллективе...

— Ну, коллективом я бы это не назвала, — улыбнулась Туся.

— Но у вас и клиенты бывают, а с вашими данными...

— Ах, боже мой, я и думать сейчас не хочу ни о каких романах.

— Это пока не встретили. А встретите...

Я уже встретила, подумала Туся. Она ничего почти не рассказывала о себе соседке. И о ней мало что знала. Очень милая женщина, в юности, должно быть, красотка, маленькая, белокурая, с голубыми глазами, очень женственная, хотя и располневшая с возрастом; она была уютной и доброжелательной. Лучшей соседки и найти невозможно. Не лезет в душу, не изливает свою. Уходит на работу на сорок минут раньше Туси, и как-то так получается, что по утрам они не сталкиваются на кухне и в ванной, то есть никак друг дружке не мешают. А работают они в одном здании. Светлана Сергеевна в какой-то компьютерной фирме, Туся в частном детективном агентстве, секретарем. А устроила ее туда как раз Светлана Сергеевна. Детективному агентству срочно понадобилась секретарша. Туся пошла туда, поговорила с хозяином, бывшим полковником милиции Владимиром Иосифовичем, и была принята с испытательным сроком. Ничего особенного от нее не требовалось. Умение работать с компьютером, вежливость и «бдительность, бдительность, бдительность!». И вот вчера как раз истек испытательный месяц и Владимир Иосифович, усталый мужчина пятидесяти лет, сообщил ей, что она испытание выдержала и ей теперь будут платить триста пятьдесят долларов.

— Ну и премиальные иногда будут, — подбодрил ее Владимир Иосифович.

— Откуда премиальные? — улыбнулась Туся.

— А когда клиент богатый будет, — подмигнул он ей.

Он был симпатяга, этот бывший полковник. Из милиции ушел по ранению. И теперь вместе с еще двумя сыщиками работал в своем собственном агентстве. Двое других, Игорь и Ростислав, молодые ребята, тоже ей нравились. Все они были совсем непохожи на ее прежнее богемное окружение. Иногда ей казалось, что Владимир Иосифович к ней немного неравнодушен.

— А у вас бывают богатые клиенты?

— А как же! Вот еще до вас пришел один... за женой последить просил... Мне лень было, но он такие бабки посулил...

— Заплатил?

— А як же ж...

...Туся приходила в офис первой. Владимир Иосифович появлялся, как правило, не раньше одиннадцати. А Игорь с Ростиславом вечно где-то пропадали. Имелись еще и внештатные сотрудники. Дела в основном были не слишком волнующие, насколько могла понять Туся. Но однажды, когда она работала всего две недели, в агентство явились двое пожилых людей, у которых пропал зять. Их дочка, жена пропавшего, категорически запретила родителям обращаться в милицию, билась дома в истерике и заранее оплакивала пропавшего супруга. Владимир Иосифович быстро сообразил, или выяснил, что она-то и затеяла похищение мужа. Хотела вынудить его продать большой дом в Сочи, где он содержал чуть ли не целый гарем. И ведь добилась своего! Чтобы за него заплатили выкуп, он велел срочно продать дом. Но вмешательство стариков испортило дочке всю затею.

— Игорь, — спросила тогда Туся, — что ж ей теперь ничего за это не будет?

— Если муж не подаст заяву в ментуру, то ничего. Но уж на развод он точно подаст. И хватит с нее. Во дурная баба!

— До чего ревность доводит... — вздохнула Туся.

— И не говорите, Наталь Дмитна. У меня у самого жена была ревнючая, просто жуть...

— А ты что, уже был женат?

— Аж два раза! И обе ревностью замучили. Больше я уж на это не подпишусь. Я теперь вольный казак!

А Ростислав был тихий, неразговорчивый, но очень вежливый и хорошо воспитанный. Всегда вставал, когда входила женщина, пропускал вперед и вообще демонстрировал хорошие манеры. Каждую свободную минутку читал, и не кого-нибудь, а Томаса Манна.

Наутро после разговора с Ниночкой Туся открыла офис и не успела даже снять пальто, как явилась клиентка. Это была шикарно одетая дама лет тридцати. Чувствовалось, что она взволнована.

— Я могу видеть господина Трунова?

— Владимир Иосифович будет позже.

— Когда?

— Обычно он приходит к одиннадцати.

— Чудовищно! — воскликнула дама.

— У вас что-то срочное?

— Разве сюда приходят с несрочными делами?

— По-разному бывает, — дипломатично заметила Туся. — Да вы садитесь, — предложила она. — Я сварю вам кофе. И мы заполним клиентскую карточку.

— Это еще зачем?

— Так положено...

— Нет, я сначала должна поговорить с Труновым, а потом уж будем бюрократию разводить. Впрочем, кофе я бы выпила.

Она сняла шубку.

— Ой, у вас подол оборвался! — сказала Туся.

— Еще и это! Вот черт! У вас булавки не найдется?

— Знаете что? Пока никого нет, снимите юбку, я вам дам иголку с ниткой.

— А я тут без юбки сидеть буду? Только этого не хватало!

— Ну хоть прихватите несколькими стежками.

— Зашивать на себе? — ужаснулась клиентка. — Никогда и ни за что! Это ужасная примета!

— Ну тогда...

— Да плевать я хотела на этот подол, пропади он пропадом! Потом отдам в ателье. Ненавижу шить!

— Господи, зачем в ателье? Я вам мигом все подошью.

— А я буду без юбки сидеть?

— Не проблема, снимайте юбку и идите в туалет. Через три минуты все будет готово. — Тусе почему-то было ужасно жаль эту женщину. Она еще заметила, что глаза у нее неровно накрашены и сломаны два ногтя. Остальные были длинные и красивые, а на указательном и среднем на левой руке торчали безобразные обломки.

— Ладно, пойду в туалет... Только вы меня не запирайте!

— Зачем мне вас запирать? — растерялась Туся.

— Понимаете, у меня клаустрофобия.

— Так не закрывайте дверь, никого же нет! А хотите там журнальчик почитать?

Женщина вдруг расхохоталась, смех, правда, был истерический.

— Ладно, давайте журнал! — опомнилась вдруг она.

Туся мгновенно подшила юбку.

— Вот, пожалуйста!

— Ну вы даете! Надо же, совсем незаметно. Вы портниха?

— Я умею шить.

— Так чего вы тут торчите? Шили бы лучше... А, тут, наверное, мужиков много...

— Просто у меня нет клиенток.

— Понятно.

Надев подшитую юбку и выпив немного кофе, женщина вдруг сказала:

— Знаете, а вы тут на месте.

— В каком смысле?

— У вас аура хорошая. Я вот пришла сюда черт знает в каком состоянии, а сейчас мне полегче стало...

Эти слова доставили Тусе громадное удовольствие. Она широко улыбнулась.

— У-у-у-у, — протянула вдруг клиентка, — на вас небось мужики с порога кидаются? У вас с этим проблем нет?

— У меня куча проблем.

— Но ведь кидаются?

— Изредка.

— Тогда я не понимаю... вы тут, конечно, на месте, но... Вряд ли это ваше призвание — секретарша в сыскном агентстве.

— Так сложилось, — пожала плечами Туся и вдруг остро себя пожалела. В самом деле — собиралась стать великой балериной, сводила с ума голливудских звезд (пусть даже в единственном числе, это дела не меняет), была замужем за блестящим журналистом, и что в результате? Спуталась со свекром, работаю в сыскном агентстве и снимаю комнатенку. А лет уже сорок...

— Да ладно, вы тут долго не задержитесь. Явится какой-нибудь богатый клиент и влюбится... Только за очень богатого не выходите. У них у всех крыша съехала... Да и старовата вы для них, им что посвежее требуется. Вот вам сколько лет?

— Сорок!

— Не может быть!

— Почему?

— Никогда бы не сказала. Я думала, мы с вами ровесницы, мне тридцать один, и то я уж старуха для своего мужа.

Но тут появился Трунов.

— Вы ко мне, мадам?

— Да. Уже давно жду. Секретарша у вас классная.

— Плохих не держим. Проходите в кабинет. Наталья Дмитриевна, сделайте нам кофе.

— Мне не нужно, я уже напилась.

Дверь за ними закрылась. Интересно, что у нее стряслось? Небось хочет последить за мужем?

Дама пробыла у Владимира Иосифовича долго. Потом вышла, громко и злобно хлопнув дверью.

— Да пошли вы все к... матери!

Она схватила с вешалки свою шубу и выскочила из офиса.

— Что случилось? — спросила Туся, когда Трунов вышел в приемную.

— А, просто ревнивая психопатка. С такими дамочками нельзя иметь дело. По крайней мере, я не собираюсь. Наталья Дмитриевна, у меня к вам странный вопрос.

— Слушаю вас?

— Не могли бы вы послезавтра вечером пойти в театр?

— В театр? — удивиласьТуся.

— Да.

— Вы приглашаете меня в театр?

— Увы, нет. Вам придется пойти одной. И закадрить одного человека.

— Закадрить? — ахнула Туся.

— Ну да. Я убежден, у вас получится.

— А если нет?

— Тогда вы просто посмотрите за ним. С кем он встретится и так далее.

— А вдруг встреча будет происходить в мужском сортире?

— Предусмотрено. Там будет еще и Ростислав. Но вы не должны никому показать, что вы знакомы с ним. Просто одинокая интересная дама. Я очень рассчитываю, что этот тип на вас клюнет.

— А зачем нужно, чтобы он на меня клюнул?

— Видите ли, этот человек любит женщин и в присутствии привлекательной особы теряет бдительность.

— А зачем нужно, чтобы он терял бдительность?

— Я не вправе посвящать вас во все детали этого дела, скажу только, что он преступник. Он, видите ли, шантажирует одного крупного бизнесмена. У него есть видеокассета с компроматом, и он за нее запросил немыслимую сумму. Так вот, мы должны изъять у него эту кассету. Вернее, просто подменить. Поверьте, это благородное дело — обезвредить шантажиста. А вы просто должны его отвлечь.

— А если он догадается, что я его нарочно отвлекаю? Да и вообще, он же может прийти в театр с дамой?

— Нет. Он купил только один билет.

— Странно.

— Он, видите ли, помешанный театрал. И всегда ходит в театр один. Правда, уходит один не всегда.

— Разве это называется «театрал»? И потом, он ведь может положить глаз на другую женщину.

— Ерунда! Он будет сидеть рядом с вами, и, если вы засмеетесь разок своим грудным смехом, ему конец придет!

Туся удивленно посмотрела на шефа, а тот вдруг покраснел. Старый милицейский волк покраснел как мальчишка.

— Ладно, пойду. А что за спектакль? Я там от тоски не сдохну?

— Черт его знает, забыл, но это точно премьера. Кажется, что-то современное. Ростислав знает. И имейте в виду, если он поведет вас в ресторан, во избежание неприятностей рядом будет Игорек. И еще, я заплачу вам за этот вечер отдельно. Ну что, уговорил?

— Уговорили.

— Наташа, я вот смотрю, вы часто макароны едите...

— Обожаю макароны! В детстве мне их никогда не давали, я же в хореографическом училась, да и потом тоже я избегала. Вот теперь и отвожу душу.

— И не полнеете?

— Да нет. Знаете, если макароны настоящие... Софи Лорен всю жизнь ест макароны.

— Но не «Макфу» же, — улыбнулась Светлана Сергеевна.

— А «Макфа» — как раз настоящие макароны. Из твердой пшеницы. От них не полнеют, как видите. Хотите попробовать?

— Да ну, я и так растолстела с возрастом.

— Нет, если макароны правильные и правильно сварены, вам ничего не грозит.

— Ладно, соблазнюсь, пожалуй. Спасибо, достаточно.

— Ах, боже мой, ешьте на здоровье! Вот возьмите сыр. А хотите томатный соус?

— Вку-у-усно! — расплылась в улыбке соседка. И вдруг по щекам ее покатились слезы.

— Господи, Светлана Сергеевна, почему вы плачете? — испугалась Туся.

— Извините, Наташа, я не хотела... просто нервы не выдержали... Я сейчас... — Она вытащила из кармана мятый платок. — Сейчас пройдет... это так... пустяки...

— Светлана Сергеевна, а вы скажите, в чем дело. Вдруг я смогу как-то помочь?

— Вы? — сквозь слезы улыбнулась соседка. — Можно я вам расскажу? Я так устала держать все в себе... На работе нет сил рассказывать, выслушивать слова сочувствия или ловить злорадные взгляды недоброжелателей. Есть и такие...

— Конечно, расскажите! Иной раз поделишься бедой с малознакомым человеком, и станет легче.

Светлана Сергеевна вытерла слезы, высморкалась, машинально ткнула вилкой в остаток макарон, но есть не стала.

— Понимаете, Наташенька, у меня был брат... то есть он жив, но... И не просто брат, а брат-близнец, мы всегда очень дружили... Знаете, вы приготовьтесь выслушать самую банальную историю, таких, как говорится, тринадцать на дюжину. Мы всю жизнь, казалось, любили друг друга. Так сложилось, что у него была семья, жена, двое детей, мальчик и девочка. А я... у меня семьи не было... То есть был человек, с которым я жила больше двадцати лет. Но он не хотел на мне жениться, да и я замуж не стремилась как-то... Жила себе в свое удовольствие. С мамой в одной квартире. А он с женой жил. Романов у меня много было... Даже и сейчас есть... — Она как-то виновато улыбнулась. — Я как могла помогала брату и его семье и деньгами, и подарками, и племянников помогала растить, а когда они выросли, с учебой помогала, мальчика от армии помогла отмазать и на работу устроила хорошую... Наташа, вы не подумайте, что я себя нахваливаю как гречневая каша...

— Почему как гречневая каша? — улыбнулась Туся.

— Знаете, говорят — гречневая каша сама себя хвалит...

— Никогда не слышала этого выражения.

— Ну, короче говоря, когда мама заболела, слегла, я тащила ее одна. Ни брат, ни невестка практически не помогали. Брат, бывало, зайдет иногда, нос зажмет... Сами понимаете — лежачая больная, а я ведь на работе целый день, на сиделку денег не набрать было. Брат приходил всегда пьяный, иначе, говорит, не могу тут находиться. Слезы лил, как мне тебя, Светка, жалко... А невестка, если заглянет, спрашивает: как ты это выдерживаешь, не понимаю? А я и сама не понимала как... У матери характер-то всегда был не сахар, а тут и вовсе... Короче, четыре года каторги. И хоть я уже понимала, что брат и его семья мне не помощники, но все же думала, что у меня есть в жизни точка опоры. А тут еще и Вячеслав, это тот мой мужчина, умер. Он мне всегда выговаривал за то, что я так рьяно брату помогаю, а я сердилась.

Ну, чтобы не растекаться — мама умерла. Братец принес мне триста долларов на похороны, сказал, что занял у кого-то... Сами понимаете, это — капля в море, я за все заплатила, а через две недели он их у меня обратно потребовал. Ему, мол, долг отдавать надо.

— Из ваших денег?

— Выходит, что так.

— И вы отдали?

— Отдала. Я вообще последняя дура... Думаете, почему я комнату снимаю? Они меня из квартиры выперли. Братец с женой. Вселились ко мне. Я сразу сказала, что готова разменять квартиру. У меня была прекрасная двухкомнатная квартира, знаете красные дома у метро «Университет»?

— Да, конечно!

— Я обратилась к риелторам, и они сказали, что такую квартиру можно прекрасно продать и на эти деньги спокойно купить две однокомнатные... — Женщина опять заплакала. — Я там сорок лет прожила...

— А они что, не пожелали?

— Нет. Они хотят всю квартиру получить. Вот и решили уморить меня. О чем заявили мне открытым текстом: это наша квартира, а ты скоро сдохнешь, и все нам достанется... Так и сказала мне эта тварь... Я, говорит, тут хозяйка, а ты скоро сдохнешь... Запугивать меня стали, что в милицию заявят, что меня вообще выселят... У меня нервы сдали, ну я и съехала... Правда, в суд все-таки подала. Но я ведь ничего лишнего не хочу... Только разделить лицевой счет, чтобы продать свою комнату... Хотя это невыгодно...

— Но ведь они вряд ли захотят жить в коммуналке.

— Они меня даже били... и горшки с цветами колотили, я, правда, тоже один их горшок разбила... И знаете, Наташа, такое удовольствие получила, ужас просто... Но не могу я с ними на одну доску становиться. Тошно мне. Я спать перестала совсем. Работать уже не могла. Вот и съехала.

— Но им же только того и надо! — воскликнула Туся, до глубины души возмущенная рассказом соседки.

— А еще мне эта гадина кричала: ты свою жизнь просрала, к тебе хахаль ходит, а я законная жена!

— А вы что?

— Да ничего...

— А брат ваш что?

— Мой брат... Моего брата нет больше, он превратился в грязную половую тряпку. Вечно пьяный, орет на всех, со всеми друзьями рассорился. Ох, простите, Наташа, что забиваю вам голову своими глупостями. Вам наверняка и своих забот хватает. Не хочу вас больше грузить... Мне и вправду чуть-чуть полегче стало. Спасибо вам за все. И за «Макфу» тоже. Извините. Спокойной ночи.

Светлана Сергеевна встала и побрела в свою комнату.

Утром, когда Трунов явился в офис, посетителей не было.

— Владимир Иосифович, у меня к вам просьба, вернее, вопрос.

— Слушаю вас!

— Скажите, можно чем-нибудь помочь в подобной ситуации? — Она пересказала ему то, что узнала вчера от соседки.

— Ну тут много еще надо выяснить. Прописан ли там брат, что с завещанием и вообще... Знаете, любое дело надо рассматривать с двух сторон. Может, все обстоит совсем не так.

— А если допустить, что все правда?

— Если все правда, то надо, повторяю, выяснить многие детали. И лишь когда они выяснятся, можно попробовать разобраться. Хотя, скажу честно, мне тут делать нечего.

— А можно, я приведу к вам эту женщину, посоветуйте ей что-нибудь.

— Наталья Дмитриевна, голубушка, зачем вам в чужие дела-то лезть? Вам своих неприятностей не хватает?

— У меня сейчас пока нет неприятностей. А Светлана Сергеевна очень хорошая, кстати, это она меня к вам устроила.

— То есть?

— Ну, сказала вашей бывшей секретарше, чтобы та порекомендовала меня на свое место...

— Она знакома с Еленой Ивановной?

— Да. Она работает в этом здании.

— А... вот в чем дело! А Елена-то какова! Рекомендовала вас как свою близкую знакомую. И я тоже хорош! Поверил! Детектив, называется. Скажу честно, я просто на вашу внешность купился...

— Владимир Иосифович, очень вас прошу... Надо же как-то обуздать этих хамов.

Он взглянул на часы:

— Ладно, звоните этой тетке, пусть приходит сейчас, пока я свободен. Поговорю с ней, так и быть.

Туся немедленно позвонила Светлане Сергеевне. Но та сейчас никак не могла отлучиться...

— Ну и славно, — махнул рукой Владимир Иосифович, — не горит небось.

Собираясь в театр на ответственное задание, она вдруг страшно разволновалась. А что, если на премьере я встречу знакомых? Но я же не преступница! Главное — не встретить Алешку, Ниночку и Кирилла. Но Алешка в этот театр не пойдет, даже под страхом смертной казни. Ниночка тоже, а Кирилл... Вряд ли он еще в Москве. А на остальных мне плевать. Даже хорошо, если кто-то меня увидит с кавалером, скажут Ниночке или мужу, ну и слава богу. Я же своих координат никому давать не собираюсь. И она занялась макияжем, потом надела изящный черный костюм из тяжелого шелка, на шею нитку желтоватого крупного искусственного жемчуга от Шанель, подаренную когда-то Ниночкой. И осталась собой довольна. Для сорока лет я еще очень недурна, подумала она с удовольствием. Ей захотелось, чтобы у незнакомого жгучего красавца, чью фотографию сегодня ей показали, голова пошла кругом. Захотелось видеть влюбленные мужские глаза, пусть даже этот мужчина шантажист и преступник. Но он очень хорош собой. И потом, может, это ошибка, может, его оклеветали... Входя в театр, она заметила Ростислава. Он стоял, зажав в руке программку, и, увидев ее, едва заметно кивнул с явным удовлетворением на лице. Шеф посоветовал ей сесть на свое место в самый последний момент, чтобы привлечь к себе внимание соседа, тем более что место у нее в проходе и никого тревожить не придется. Вскоре она заметила «объект». Он разговаривал с каким-то молодым человеком и был действительно чертовски привлекателен. У Туси вдруг захватило дух от предстоящего приключения. Как интересно, как волнующе интересно! А может, я авантюристка, только никогда этого не знала? Может, мне надо было не в балет идти, а в школу разведки, или как там это называется? Она прошла мимо «объекта» и, поймав его взгляд, едва заметно улыбнулась ему. Он эту улыбку уловил и, как опытный бабник, встрепенулся. Ах, до чего обворожительная женщина! Изящная, походка — чудо! И таинственная какая... Почему-то она одна! Надо бы последить за ней, но она вдруг исчезла, словно растворилась в толпе. Ничего, в антракте я ее найду. А может, она уже в зале? Он поспешил найти свое место в девятом ряду партера и стал в бинокль оглядывать зал. Ее нигде не было видно. Но вот и третий звонок, в зале меркнет свет... И тут она появилась и села с ним рядом. Его обдало запахом дорогих духов. Кажется, это Сислей, «О де суар» — определил он. Ей идет. Он взволновался. Что сулит сегодняшний вечер? Надежда есть. Она явно пришла одна и никого не ждет, не ищет глазами. Спокойно села на свое место.

Спектакль начался.

К концу первого акта Туся пришла в смятение. Ее сосед не сказал ни слова, не сделал ни одного жеста, который бы свидетельствовал о его заинтересованности в ней, но тем не менее она точно знала, без всяких слов и жестов, что он захвачен ею и спектакль интересует его очень мало, как, впрочем, и ее. Между ними словно натянулась какая-то невидимая нить, вернее, провод, и при малейшем движении обоих может тряхнуть током. Но он же профессионал, он ходит в театры один, а уходит с женщинами... Меня для того сюда и прислали. Мне никогда не нравились мужчины этого типа — черные волосы, отливающие синевой, хоть и прекрасно выбритые щеки. Он, видимо, грузин или армянин, а может, грек или итальянец... А впрочем, какая разница! Я хочу, чтобы он пригласил меня куда-нибудь после спектакля, и хочу не только по долгу службы. Он преступник? А ведь назвать человека преступником может только суд! Но как я понимаю, до суда никто доводить дело не собирается, у него просто хотят выкрасть что-то. Изъять. Мне сказали, что компромат. Может, и Трунова обманули. Откуда он знает, компромат у этого человека хранится или что-то совсем другое? Может, он, наоборот, честный и благородный? А компромат поможет вывести на чистую воду настоящих преступников? Ведь нанять детектива может кто угодно! А Трунов — бывший мент. Он, конечно, симпатяга, но это еще ничего не значит. В душе поднялась неприязнь к начальнику. Он рвач... вон сам рассказывал, что не хотел следить за чьей-то женой, лень ему, видите ли, а как посулили большие деньги... Ну, впрочем, это естественно. Для профессионала с Петровки, наверное, унизительно следить за какой-то бабенкой, вся вина которой заключается лишь в предполагаемой неверности какому-то жирному борову с тугим кошельком... Да при чем тут Трунов? Меня тянет к этому человеку. А разве не так же меня тянуло к Кириллу? Господи, Кирилл... Нет, о нем нельзя думать. Это было и прошло. Но тут же перед глазами возникла картина, которую она нарисовала себе в те несколько часов, что отделяли их последнюю встречу от жуткого Алькиного открытия. Большой одноэтажный дом в далеком, незнакомом, но таком романтическом Провансе. Что я о нем знаю, о Провансе? Прованское масло — значит, там растут оливы... Капуста «провансаль» — терпеть ее не могу, а еще был какой-то поэт, кажется, даже лауреат Нобелевской премии, как его звали... что-то такое, связанное с ветром... Ах да, Мистраль... Прованс... Сад с цветущими деревьями, много-много воздуха... и любви...

Ее сосед мгновенно уловил, что эта восхитительная женщина перестала думать о нем, что нить, нет, провод между ними вдруг провис. Ах, это нечасто бывает — ни звука, ни жеста, ни даже взгляда, а ток идет...

Но тут раздались не слишком бурные аплодисменты, и зажегся свет в зале. Женщина словно очнулась, хлопнула два раза в ладоши и встала.

— Вам понравилось? — спросил он.

Она подняла на него глаза.

— Нет, я ничего не поняла.

— Признаться, я тоже. Меня только жутко раздражал голос этой актрисы...

— Да? Меня тоже. Я просто не отдавала себе в этом отчета...

— Вы о чем-то своем думали, да? — улыбнулся он. Черт возьми, у нее какие-то странные глаза. Несчастные, что ли? Она одинока? Почему?

— Простите, это, возможно, прозвучит достаточно пошло, но вы... Почему вы одна в театре?

— А не с кем... — пожала она плечами. Сейчас он пойдет в атаку, подумала она. Ей и хотелось этого, и было страшно. Я могу, наверное, в него влюбиться. Вернее, могла бы, если бы не Кирилл. А что Кирилл? Где он, а где я? Он, скорее всего, уже в Провансе, а я тут, в театре, выполняю задание... Я агент... Я Мурка. Маруся Климова, прости любимого... Я не хочу, чтобы у Трунова все получилось. Мне жаль этого человека. Он, наверное, одинокий и неприкаянный, как я... И никакой он не преступник, он просто грешник, так же как и я. Я совершила смертный грех. И он, возможно, тоже. Мой грех, прелюбодеяние, в наше время и грехом-то не считается, тем более смертным... А в чем его грех? Хотелось бы узнать?

— Послушайте, а давайте познакомимся! Меня зовут Грант. А фамилия...

— Не надо фамилии. Просто капитан Грант! А я... Маруся... (И про себя не без горечи добавила: Климова.)

— Маруся, какое чудное имя... Вам идет. Послушайте, Маруся, а давайте сбежим отсюда, а?

— Сбежим? — растерялась она. — Куда?

— А куда хотите! На волю, в пампасы! Или в ресторан?

— А как же премьера?

— Плевать на премьеру!

— Плевать?

— Да! Со спокойной душой! Такая тягомотина... вы же весь первый акт думали о чем-то своем.

— Откуда вы знаете?

— А я наблюдал за вами. И тоже думал... о вас.

Она вспыхнула.

— И что вы обо мне думали? — Она вдруг посмотрела ему прямо в глаза. Глаза были черные, непроницаемые, ей даже стало страшновато, но лишь на мгновение, потому что он вдруг улыбнулся, глаза ожили и обласкали ее.

— Знаете, я думал, что, наверное, с вами страшно жить рядом.

— Страшно? Почему?

— Можно легко превратиться в этого дурацкого шекспировского героя.

— Ну, для Джульетты я старовата уже.

— Я имел в виду Отелло. Ох, извините, пошлость какая-то получилась. Простите. Ну так что, Маруся, сбежим?

— Сбежим, капитан Грант!

Глава третья

Можно было жить красиво,
Можно было просто жить.

Из песен Б.Абарова

Снег падал медленно, крупными красивыми хлопьями, как в «Пиковой даме». Когда-то, будучи ученицей Хореографического училища, она участвовала в сцене бала. «Мой миленький дружок, прелестный пастушок...», а молодая Елена Образцова гениально играла старуху-графиню. Германна пел Атлантов... Боже, какая я старая! Что я помню! Правда, тогда я была еще совсем ребенком, и все-таки...

Какая странная, она все время уходит куда-то. Может, у нее горе? Зачем мне это? Я не хочу, у меня и своих неприятностей хватает. Может, изобразить телефонный звонок, извиниться, подвезти ее до дома, и пусть себе думает о чем угодно без меня? У него в кармане всегда лежало два телефона, разной конфигурации. И стоило нажать на кнопку одного, как второй аппарат начинал звонить. Это было весьма удобно. Он уже сунул руку в карман, но тут она вдруг встряхнула волосами, улыбнулась виновато...

— Маруся, вы всегда такая грустная?

— Грустная? Да нет...

Ей тут же вспомнилось, как она нагишом отплясывала чардаш в номере Кирилла...

— А хотите я вас рассмешу?

— Хочу! Очень хочу!

— Знаете, когда-то давным-давно в одном провинциальном театре оперетты собирались ставить спектакль, где моя... бабушка должна была петь такую арию: «На паровозе-возе-возе-возе-возе я улечу в сияющую даль...

Он вдруг схватил ее за руку и допел:

— Жила я раньше в родном колхозе, а нынче прошлого ни чуточки не жаль!

— Господи, откуда вы это знаете? — потрясенно спросила Туся.

— А либретто писал мой дедушка вместе со своим другом!

— Это сочинил ваш дедушка?

— Представьте себе! Я как-то еще в студенческие годы нашел у деда в архиве эту прелесть. Писалось в ранней молодости, и отнюдь не всерьез. Грант Айрапетов и Евгений Рубин, они вдвоем старались... Вот уж не думал, что хоть кто-то еще это знает.

— Вас назвали в честь деда?

— Конечно. Только я не Айрапетов, а Айрапетян. Кстати, я тут недавно заказал билет на самолет, и там написали Аэропетян. Здорово, да?

— Ну что ж, для авиапассажира очень даже недурная фамилия! — захохотала Туся.

— А ваша бабушка пела в свердловской оперетте?

— Да, только на самом деле она мне не бабушка, это я для простоты сказала, она подруга моей бабушки. Кстати, она жива и находится в добром здравии.

— Маруся, вот моя машина! Поедем куда-нибудь, поужинаем, а? Надо же отметить наше знакомство и, как выяснилось, почти родство?

— С удовольствием! — искренне воскликнула Туся. Ей вдруг стало хорошо. Никакой он не преступник, этот капитан Грант Аэропетян!

Машина оказалась спортивным «мерседесом», двухдверным, с низкой посадкой.

Он открыл перед ней дверцу:

— Прошу, садитесь, Маруся!

— Послушайте, капитан Грант, а вы вообще кто? — вдруг осведомилась она.

— В каком смысле?

— По профессии?

Но тут стремительно подкатила черная «Волга», оттуда выскочил Трунов с криком:

— Ах вот ты где, шалава несчастная! — Он схватил Тусю и поволок за собой.

Грант на секунду опешил. Однако Трунов уже успел запихнуть яростно сопротивляющуюся секретаршу в машину и заблокировал дверцу. И буквально тут же откуда-то набежали люди в форме, схватили капитана Гранта и принялись обшаривать карманы. Все было как в сериале — руки на капот...

— Боже, что это?

— Ну нельзя же быть такой курицей! Это как минимум задержание.

— А как максимум? — машинально спросила ошалевшая Туся.

— Как максимум — зона. Лет на пять.

Туся заплакала.

— Втюрилась, что ли?

— Не ваше дело.

— Ну ясно, втюрилась. Не ты первая и, боюсь, не ты последняя. Скажи спасибо, что у меня старые связи и я успел тебя перехватить, а то хлебнула бы. Кто там стал бы разбираться, откуда ты такая... Пока суд да дело, насиделась бы в обезьяннике... Ну не реви, и вообще, прости меня. Я правда не знал, что его собираются брать. Честное слово. Не знал, что МУР на него зубы точит. Только в последний момент выяснилось.

— А что он сделал? За что его?

— За дело, можешь мне поверить.

— Да не поверю я вам, с какой стати мне вам верить, мало вы, что ли, невиновных в тюрьмах гноите, мало без вины расстреливаете, да?

— Прекрати истерику! А если хочешь знать, я тебе через пару дней покажу кое-что из подвигов этого «невиновного». Впечатлишься! Ладно, куда тебя отвезти?

— Домой, — всхлипнула Туся.

— Будет сделано. А вообще, спасибо за службу. Мы вовремя успели благодаря тебе... Извлекли все, что нам было надо. И, кстати, очень сильно облегчили судьбу твоего героя. Если б у него нашли то, за чем мы охотились, думаю, пятью годами он не отделался бы, а, скорее всего, умер бы в тюрьме при невыясненных обстоятельствах. Такие вот пироги. А больше я тебе ничего не скажу, не имею права. Живи спокойно. Слава богу, далеко у вас дело не зашло.

Она в ответ только носом шмыгнула. Жизнь дала ей очередную затрещину. Сколько можно?

— Он слишком любил красивую жизнь, слишком.

— Ладно, проехали. Ничего больше знать не хочу. И не показывайте мне никаких его дел.

— Как скажешь. Ты извини, конечно, еще и за то, что говорю тебе «ты». Мне так проще, знаешь ли.

— Да ладно...

— Слушай, а я зашел к этой твоей соседке... Мне она понравилась, хотя дура, конечно, редкостная. Сама своими ручонками себе на шею удавку накинула. Прописала этого прохвоста-братца. Да и еще наделала глупостей.

— Но помочь ей можно?

— А как же! Поможем, по мере сил. Она ж, бедолага, ничего незаконного не хочет. Ну, во-первых, ей надо вернуться в свою квартиру, набраться терпения, а уж там...

— Вернуться? Но как же? Там ведь они ее уморят...

— Не уморят, теперь уж точно не уморят!

— Вы с ними поговорите, да?

— Еще с такой мразью разговаривать! Как будто мне и так мало мрази...

— Но как же?

— А я просто сам туда въеду! Пусть попробуют пикнуть у меня!

Что-то было в голосе шефа такое, что Туся на минуту отвлеклась от своих неприятностей.

— Как это вы въедете? А она?

— Думаю, она не против будет.

— Ничего не понимаю.

— Я на ней женюсь, Наташенька.

— Женитесь? Фиктивно, что ли?

— Зачем фиктивно? Не фиктивно. Понимаешь, у меня... это... с первого взгляда. Я как ее увидал, все, думаю, я приехал. Это моя конечная остановка.

— Правда, что ли?

— Святой истинный крест, как говорила одна моя подследственная.

— Так зачем же вам въезжать к Светлане в коммуналку?

— Вот именно затем, чтобы их усмирить. Я им там покажу, кто хозяин в доме. Вот гниды, такую женщину хорошую сгнобить хотят и еще не стесняются! Хо-хо, не на того напали! Через неделю, самое позднее, прибегут с вариантами купли-продажи, еще умолять будут! А тебе еще одно спасибо, если б ты меня не попросила...

— Ну надо же... — озадаченно протянула Туся. — Неужели так бывает?

— Бывает, еще и не такое бывает.

— Вы влюбились, да?

— Черт его знает, может, это и так называется. Просто мне сразу захотелось дожить свою жизнь именно с этой бабой, хоть она и не первой молодости, даже и не второй. А я что, юный красавец? Тоже не подарок... Ну вот, приехали. Иди домой, ложись спать и выкинь из головы этого красавчика — гнилой товар.

Сам ты гнилой, подумала Туся. Но в следующую секунду поняла, что, в сущности, ее начальник прав. Прощайте, капитан Грант!

Светлана Сергеевна, по-видимому, уже спала. У нее было тихо и темно.

Улегшись в постель, Туся подумала: я невезучая. Ужасно, катастрофически невезучая. Или просто дура? Скорее всего, невезучая дура. Ну чего я увлеклась вдруг проходимцем? Ведь сказано же было — ты идешь завлекать проходимца... Так нет, вздумала оправдывать его. Просто потому что он привлекательный, сексуальный, интересный? Прав Владимир Иосифович, слава богу, далеко у нас не зашло. А с Кириллом зашло... Он меня искал... А Лешка не ищет. Искал бы — давно уже нашел бы... Для главного редактора газеты найти не очень-то прячущуюся глупую бабу раз плюнуть. Я ему не нужна. Ну и ладно. Не больно-то и ждали. Я совсем по нему не скучаю. Даже по квартире своей обожаемой не скучаю, только по Мамзику... Мамзик тоже невезучий. Как я. Только я старая дура, а он маленький еще... Одинокий... Убежал куда-то. Может, его добрые люди подберут. Только бы гнусным мальчишкам не попался, а то замучают... Ей стало так страшно при мысли об этом, что она, как в детстве, залезла с головой под одеяло, закусила уголок подушки, зажмурилась. В детстве это помогало, а сегодня слезы все равно стали ее душить, и оттого, что детская уловка не помогла, она расплакалась еще пуще.

Утром Туся чувствовала себя совершенно разбитой и больной. Кажется, даже температура поднялась. Наверное, вчера простудилась, когда шла с капитаном Грантом без шапки... Не пойду на работу, просто нет сил. Совсем. Она снова легла в постель. Надо позвонить шефу и предупредить, что не приду.

— Владимир Иосифович, простите, но я заболела.

— Нервишки шалят?

— Нет, простудилась вчера.

— А, производственная травма? Ладно, болей, но недолго. Ты мне будешь нужна...

— Опять кого-то завлекать?

— Да нет, пока ничего такого не предвидится. Но в офисе без секретаря, сама понимаешь... Ладно, лечись! Голос у тебя и вправду простуженный.

Туся слышала, как ушла Светлана Сергеевна. Она теперь съедет отсюда. И кто окажется на ее месте? Жаль, у меня не хватит денег, чтобы снять всю квартиру. А может, поднатужиться? Мне осталось терпеть не так уж долго, мои жильцы скоро съедут. И тогда меня сразу можно будет найти... Кирилл к тому времени, скорее всего, и думать обо мне забудет. Лешке я триста лет не понадоблюсь, не захочет он снова жениться. Так удобнее — я, извините, женат и понятия не имею, где моя жена, так что и развестись не могу. А Ниночка... Ну, Ниночка пусть найдет... Я по ней скучаю... Как хочется спать...

Ее разбудил стук в дверь. Она открыла глаза в полной темноте. Это что, уже вечер? Стук в дверь повторился.

— Наташенька, это я. Вы там живы? Откройте, пожалуйста.

— Открыто, Светлана Сергеевна, заходите!

— Ой, как у вас душно! Разве так можно? Вы лежите, лежите, укройтесь потеплее, а я форточку открою. Мне Владимир Иосифович сказал, что вы заболели, я тут вам фруктов принесла. Может, чаю вам сделать? Вы сегодня что-нибудь ели?

Все это она выпалила единым духом. В форточку ворвался холодный сырой воздух.

— Ничего, ничего, свежий воздух необходим!

— Спасибо.

— У вас случайно температуры нет?

— Не знаю, у меня и градусника нет.

— У меня тоже. Но я могу сбегать в аптеку.

— Нет, не надо никуда бегать. Я спала весь день, и мне, кажется, лучше. Светлана Сергеевна, а как ваши-то дела?

— Ой, Наташенька, не знаю, что и сказать... Владимир Иосифович как-то очень круто взялся... я даже смущена...

— Но теперь-то ваша квартира уже никуда не денется.

— Так-то оно так, но я, знаете ли, мечтала жить одна на старости лет...

— Да какая там старость лет! Вон с первого взгляда сразили наповал полковника милиции. Он от вас в восторге.

— Да, он очень милый, но... — Она испуганно понизила голос: — Он жениться хочет, вот так, с наскоку... А я... не готова... И потом, у меня есть друг... давно уже... Как тут быть, Наташа?

— То есть вы не готовы бежать за него замуж?

— Совершенно не готова. Но с другой стороны... Он такой надежный... в наше время это редкость, и так горячо взялся помогать, а мне очень нужна помощь... Наташа, я в полной растерянности...

— Да, понимаю. Я-то решила, что у вас с первого взгляда... взаимно, так сказать... А он вам что, не нравится?

— Да нет, что вы, нет, он очень милый, но так быстро... Он хочет сразу вместе перебраться в мою квартиру...

— У него, между прочим, есть своя квартира, двухкомнатная, и к вам переехать он хочет временно, чтобы приструнить ваших чудных родственников. По-моему, это было бы неплохо.

— Да, конечно, могу вообразить, как у них морды вытянутся... Они небось уже решили, что избавились от меня, дуры... Может, и комнату мою взломали...

— Ой, тогда я им не завидую! — почему-то обрадовалась Туся.

— Наташа, вы правы! Это будет прекрасная, сладкая месть! Мне много не нужно, только бы увидеть их рожи, когда они поймут, что я... вышла замуж, да еще и за милиционера... Знаете, одна сослуживица брата, которая мне очень сочувствует, сказала, что он как-то проболтался, что больше всего боится, как бы я замуж не выскочила, ведь тогда после моей смерти все мое достанется не им, а мужу! Они почему-то уверены, что я скоро умру...

На глазах у нее выступили слезы.

— Светлана Сергеевна, не вздумайте плакать! Еще чего! Почему это вы умереть должны раньше них? Никогда! Это их душит злоба и жадность. А вы... такая милая... Нет, вы просто обязаны выйти замуж за Трунова, обязаны!

— Вы так считаете?

— Да, безусловно! — горячилась Туся. — Только квартиру все равно разменивайте. Потом сдадите ее и будете жить у Владимира Иосифовича. Знаете, что он мне сказал вчера?

— Что? — испуганно-восторженно спросила соседка.

— Что вы — его конечная остановка.

— Конечная остановка? А это хорошо?

— Да! Я вот тоже была для одного человека конечной остановкой, но жизнь распорядилась по-другому... И теперь, наверное, придется ему...

— Что? Ехать в депо?

— Ой, нет, боже сохрани! Нет, придется ему пересесть на другой маршрут и, может быть, еще долго ехать...

— До другой конечной остановки?

— Да, именно.

— И вам не жаль?

— Жаль, конечно, но... Ой, не будем об этом, ладно?

— Хорошо, не будем. А вот апельсинчик съесть надо! Там витамин С! И еще я хотела сказать... У меня комната оплачена на два месяца вперед, так вы живите спокойно, когда я съеду.

— Нет, я отдам вам деньги, только, наверное, не сразу.

— Наташа, вы так много для меня сделали, я и слышать ничего не хочу!

— Спасибо вам, я вот вчера думала, что я ужасно невезучая...

— А теперь так не думаете?

— Нет.

— Вот и славненько. А апельсин надо съесть!

169

...Через два дня Туся вышла на работу. А еще через два дня Владимир Иосифович и Светлана Сергеевна подали заявление в ЗАГС. И в ближайший выходной намеревались въехать в комнату Светланы Сергеевны.

— А может, все-таки въезжать не стоит? — засомневалась Туся. — Зачем так нервы себе трепать?

— Я понимаю, так-то оно так, но... Знаете, просто хочется на рожи их посмотреть... И Володе тоже. Мы ненадолго, пока у Володи ремонт сделаем. Такая холостяцкая берлога, ужас просто! — сияя, сообщила Светлана Сергеевна.

Ага, значит, она у него уже побывала и все ее сомнения, видимо, развеялись. Как хорошо!

Глава четвертая

Можно было не ломаться —
Так чего ж еще желать.

Из песен Б.Абарова

Оставшись одна в квартире, Туся сперва затосковала, а потом вздохнула с облегчением. Я опять сама себе хозяйка. В этом что-то есть. Свобода! И хотя чужая квартира, мне все равно лучше одной. Любви, конечно, не хватает, но, видно, не судьба... Две неудачные попытки за короткое время. Должна быть еще третья... А вот потом все может и получиться. Я ведь еще не очень старая, особенно когда рядом нет молодого мужа. Мне всего только сорок. Вон Светлане Сергеевне немножко за пятьдесят, а Владимир Иосифович влюбился в нее с первого взгляда. Ниночке и вовсе под шестьдесят, а у нее тоже роман, а может, и не один... Интересно, неужели она совсем не ревнует Кирилла ко мне? Кирилл...

Нет, о нем нельзя думать. Его уже нет. Поискал — перестал. Ему так легче и лучше, совесть мучить не будет. Все-таки Лешка его сын... А я тут лишняя. Может, они когда-то и обретут друг друга. Нет, не буду о нем думать, слишком больно. Может, с капитаном Грантом я и забыла бы о нем... Капитан Грант, где он теперь? В тюрьме, у параши? И, наверное, ненавидит меня... считает меня черт знает кем... Нет, больше я на такое не пойду. Пусть даже он опасный преступник. Ей вспомнились черные огненные глаза, красивые аристократические руки... Нет, это все в прошлом. А я начала новую жизнь.

Она ходила на работу, и как-то Игорь заметил:

— Наталь Дмитна, вы чего, влюбились, что ли?

— Господи, Игорек, с чего ты взял?

— Да похорошели как-то я гляжу, помолодели...

— Нет, просто я пришла в себя. Были у меня всякие передряги, а теперь все вроде бы улеглось.

— А! Послушайте, Наталь Дмитна, а вы «Турецкий гамбит» смотрели уже?

— Нет. Я и забыла, когда в кино была.

— А давайте в субботу сходим?

Туся испугалась. Игорю лет двадцать восемь, и с чего это он вздумал меня в кино приглашать?

— Нет, спасибо, Игорек, в субботу я за город еду, к знакомым.

— Ну так в воскресенье?

— Нет, я с ночевкой еду. Вернусь только утром в понедельник, прямо на работу. А вообще поищи себе спутницу помоложе.

— Да на фиг она мне сдалась? Не хотите, не надо!

— Ты не обижайся.

— Постараюсь.

Когда он ушел, Туся огорченно помотала головой. Только этого еще не хватало. Двенадцать лет разницы! Ужас! А вот съездить за город и вправду не помешает. Татьяна небось бог знает что обо мне думает.

И в субботу утром, накупив московских гостинцев, она отправилась в Абрамцево.

Как всегда на подходе к дому, у нее тревожно забилось сердце: что я там застану?

Дело шло к весне, но на участке снег был чистый, аккуратно разметенный. И на крыльце, как всегда, дрых Бонька. Она окликнула его, он поднял голову, коротко взлаял и снова уснул. Постарел, видно.

Ей открыла незнакомая женщина.

— Вы к кому?

— К Татьяне Реджинальдовне. Она дома?

— Дома, дома, куда ей деться?

— А Антонина Панкратовна?

— В больнице она. А вы кто? Как Татьяне-то сказать?

— Скажите, Туся приехала.

Она принялась расстегивать шубу.

— Да вы не спешите, дама, может, еще и не захочет она вас видеть. У ней настроение плохое нынче. Фордыбачит.

Женщина скрылась, а Туся все же сняла шубу, не париться же тут!

Буквально через минуту дверь в прихожую распахнулась и на пороге возникла хозяйка дома.

— Явление блудной дочери! — патетически воскликнула она. — Туся, деточка, куда ты запропастилась? Тебя тут, можно сказать, с собаками искали! Зизи, сделайте нам кофе!

— Какая я вам Зизи, собачка я, что ли? Тоже выдумали!

— Я не могу, ваше имя вызывает у меня самые мрачные ассоциации!

Зизи, ворча, исчезла на кухне.

— Как ее зовут? — полюбопытствовала Туся.

— А, Зинаида! Терпеть не могу!

— А что с Антониной-то стряслось?

— Понимаешь, она ж еще молодая, а у нее, видишь ли, давление! И печень! Жрать надо меньше! А она толстая, как бочка, вот и... развалилась на части! А мне, извольте радоваться, с этой Зизи приходится дело иметь! Она ничего ни в чем не понимает! Тупая и злобная! Не дождусь, когда моя Антошка вернется. Ну а ты, что с тобой? Почему ко мне не пришла?

— Так у вас меня сразу бы нашли.

— А ты не хочешь?

— Нет.

— Значит, всерьез ушла от Лешки?

— Всерьез!

— Жить есть где? Деньги на жизнь есть?

— Все у меня в порядке, Татьяна Реджинальдовна, миленькая, не беспокойтесь.

— Как же мне не беспокоиться? Ты ж мне не чужая, единственная внучка моей лучшей подруги... Ты к мужику ушла, признайся?

— Нет.

— И у тебя нет любовника?

— Нет.

— Идиотка! Или сейчас уже мужчины перевелись?

— В известном смысле... — улыбнулась Туся. — Татьяна Реджинальдовна, а вот скажите...

— Что сказать? Что? Я не понимаю, такая прелестная женщина — и без мужика? Или у тебя другая ориентация?

— Да боже избави! — содрогнулась Туся.

— Ты где-то работаешь?

— Да. И очень довольна.

— А кем же ты можешь работать?

— Секретарем.

— А кто твой шеф? Женщина?

— Да нет, мужчина.

— Педераст?

— Нет.

— И он с тобой не спит?

— Нет, — улыбнулась Туся.

— Неужто так бывает? Хотя это абсурд, на мой взгляд. Нет, я решительно не понимаю нынешнюю молодежь.

— Да какая ж я молодежь?

— Для меня ты девчонка! Туся, пообещай мне, что в ближайшее время заведешь любовника! Очень тебя прошу!

— Да где ж его взять?

— Соблазни начальника!

— Ни за что! А знаете, Татьяна Реджинальдовна, я вот хотела спросить: помните, вы рассказывали про оперетту, где вы должны были петь про паровоз?

— Разве такое забудешь? А почему ты спросила?

— А вы помните, как она называлась?

— Отлично помню! Не то «Счастливый путь», не то «Счастливого пути». А тебе зачем?

— А кто либретто писал, помните?

— Еще бы не помнить! Грантик Айрапетов и Женечка Рубин. Грантик горячий был мальчик! А почему ты спросила...

— Да я тут недавно с его внуком познакомилась...

— С внуком Грантика?

— Представьте себе, я ради смеха спела ему начало вашей арии, а он продолжил...

— Он тоже красавец?

— Ну в общем, да.

— И у вас что, не случился роман?

— Нет, не случился, — со вздохом сказала Туся.

— Ну и дура! Грантик был такой горячий мальчик...

— Но ведь у вас в то время был, кажется, роман с каким-то певцом.

— Ну и что? Одно другому никогда не мешает, запомни это, ради всего святого! А знаешь что, привези ко мне этого малого... Ну внука. Его как звать?

— Тоже Грант.

— Вот и чудесно!

— Нет, не выйдет, он... уехал, очень далеко уехал...

— Когда в свое время говорили «он далеко уехал», зачастую это значило, что его посадили... Слава богу, сейчас другие времена. Но он ведь вернется?

— Наверное. Хотелось бы надеяться.

Зизи принесла им кофе, печенье, сливки.

— Спасибо, Зизи. А к обеду, пожалуйста, сделайте что-нибудь посущественнее. Тусю надо кормить!

— Чего посущественнее? Сами-то вы ничего не едите!

— А вот с Тусей за компанию и поем. Знаешь, ко мне твой муженек приезжал. А потом и свекруха заявилась. Она славная бабенка!

— Она — чудо!

И вдруг произошло то, чего Туся уж никак не могла ожидать. Старая дива расплакалась, и сразу стало ясно, как она стара и слаба. У Туси сжалось сердце.

— Татьяна Реджинальдовна, миленькая, почему вы плачете, что случилось?

— Тусечка, девочка, мне так плохо, я сама во всем виновата. Я была никудышной матерью, я ужасная свекровь, моя невестка даже никогда ко мне не приезжает, сын, конечно, заботится обо мне, но все больше материально... И близких никого не осталось, внуков нет, да у меня уж и правнуки могли бы быть, и даже праправнуки. И никого... Была Антошка, но она меня предала... Я чувствую, что скоро умру, совсем скоро...

— Татьяна Реджинальдовна, бросьте, все совсем не так плохо, и Антошка ваша скоро вернется... Просто март плохой месяц, но скоро апрель, солнышко, сад ваш чудный начнет зеленеть...

— Не называй меня больше Татьяной Реджинальдовной, зови бабой Таней. Мне иногда кажется, я так одинока из-за этого дурацкого английского отчества. Я своего отца и не помню совсем, он умер, когда мне годик был... А туда же Реджинальд... Нормальному человеку и не выговорить.

— Хорошо, баба Таня!

Старуха улыбнулась сквозь слезы.

— Ты добрая девочка, милая... Дай мне зеркало, а то я, наверное, уже не баба Таня, а баба-яга. А эту Зизи не выношу. Чужая!

— Откуда она взялась?

— Сын пожертвовал. Она у него работает, так он временно ее сюда определил, к нашему общему неудовольствию. Подай мне пудреницу! Знаешь что, пойдем ко мне в комнату, я хочу кое-что тебе подарить!

— Да не надо мне ничего дарить, баба Таня!

— Это уж мне решать, надо или не надо! Заходи и закрой дверь на задвижку!

— Зачем? — удивилась Туся.

— А то эта может впереться... Знаешь... — Старуха перешла на драматический шепот: — Знаешь, мне кажется, она тут шпионит...

Ох, подумала Туся, кажется, у старушки плохо с головой...

— Не думай, я не спятила! Просто она клевретка моей снохи. А та давно уж на мои драгоценности целится. И не исключено, что хочет меня извести с помощью этой... Чтобы... завладеть. Я, по ее мнению, зажилась, а она стареет, ей скоро уж мои украшения ни к чему будут. А поносить небось, хочется прямо сейчас!

— Татьяна Реджинальдовна, не вздумайте, я не возьму!

— Это почему?

— Не хочу!

— Как это не хочешь?

— Ни к чему они мне!

— Так не бывает!

— Баба Таня, миленькая, да я такая невезучая... Мне драгоценности иметь нельзя, у меня их украдут или, еще хуже, убьют из-за них... Пожалуйста, не надо! Подарите кому-то еще!

— Дура ты, самая настоящая идиотка! Ты красивая баба, в тебе класс чувствуется, тебе мои украшения пойдут, а этой халде, моей невестке, они как корове седло! А кроме нее, никого уж не осталось... А ты знаешь что... Я вот слыхала, что можно отдать драгоценности в банк на хранение!

— Если я это сделаю, банк прогорит.

— Пусть! По крайней мере невестке не достанется.

— Баба Таня! — укоризненно воскликнула Туся. — Пусть сыну вашему достанется. А знаете что, вы отдайте это сыну и скажите, чтобы подарил своей любовнице.

— У него есть любовница? — безмерно оживилась старая дама.

— Я точно не знаю, но думаю, да... его жена и вправду не слишком привлекательна, а он еще очень интересный мужчина...

— Туська, а иди-ка ты к нему в любовницы. Сама же говоришь — он интересный... Тогда бы я с легкой душой отдала ему драгоценности, зная, что носить их будешь ты. Да нет, я понимаю, это все чушь. Но мысль неплохая, я попробую у этой клевретки разузнать насчет любовницы. И если подтвердится, что ж... Хотя, Туська, это все глупости, суета бабья... А я скоро умру, я знаю, и не смей лепетать про сад, про солнышко. Думаю, больше мы и не увидимся. Так вот, я требую, чтобы ты взяла этот браслет. Он очень ценный. Если его продать хорошо, можно, наверное, квартиру купить. Я когда-то продала похожий гарнитурчик, серьги и кольцо, и купила кооперативную квартиру на Аэропорте.

— У меня есть квартира.

— Купишь еще одну, хорошее вложение денег... Знаешь, мне этот браслет подарил один человек... Он, наверное, был не слишком... порядочным, но... Браслет принес мне невероятную удачу и стал даже талисманом. Возьми, и пусть он принесет тебе счастье. Ты хорошая девочка, бескорыстная и добрая, ты заслужила немножко счастья. Бери без разговоров!

— Но, баба Таня...

— Я смертельно обижусь!

— Ну хорошо... — скрепя сердце согласилась Туся. Она не верила, что браслет принесет ей счастье, но как-то сразу поверила, что старуха скоро умрет, и не хотела ее обижать.

Уезжая, она оставила на всякий случай Зинаиде свой телефон. А через неделю ей позвонил сын Татьяны Реджинальдовны и сообщил, что мать умерла.

— Простите, Туся, что не позвал вас на похороны... Просто мне только сегодня дали ваш телефон. Впрочем, может, и к лучшему. Это было грустно...

— А что же теперь будет с Антониной?

— Так она умерла, уже больше месяца. Святая была старушка, столько лет терпеть мою матушку... Царствие им обеим небесное...

— Как? Я была у Татьяны Реджинальдовны неделю назад! И эта женщина, Зинаида, сказала, что она в больнице...

Он горько усмехнулся:

— Мама не хотела верить... И запретила всем говорить, что Антонина умерла. Туся, послезавтра девять дней, давайте... встретимся где-нибудь и помянем маму. Никого уж не осталось, кроме вас... К великому сожалению, не могу пригласить вас домой... У нас сейчас ремонт...

Тусе показалось, что даже по телефону видно, что он краснеет от своей неуклюжей лжи.

— Простите, Сергей Леонидович, не смогу послезавтра, никак.

— Что ж, может быть, тогда встретимся на сороковины...

— У вас к тому времени кончится ремонт? — не удержалась Туся.

— Туся, зачем вы так, вы же все понимаете? — почти взмолился Сергей Леонидович.

— Да я все понимаю. Мне только хотелось бы знать, где похоронили Татьяну Реджинальдовну.

— Еще не похоронили, только кремировали. Но у нас место на Хованском... Я вам позвоню, когда буду захоранивать маму. Вы придете?

— Обязательно!

— Спасибо вам. И запишите все мои телефоны.

— Наталь Дмитна, вы чего такая? — спросил Игорь с порога.

— Умерла одна моя знакомая.

— А, понял. Шеф тут?

— Нет еще. Игорь, будь добр, посиди тут пять минуточек, я в аптечный киоск сбегаю, ладно?

— Нет вопросов, идите.

— Понимаешь, клиент должен прийти, он опаздывает...

— Не беспокойтесь, идите!

Аптечный киоск находился на первом этаже бывшего научно-исследовательского института. Теперь здесь размещалось множество самых разных фирм. Туся купила таблетки от головной боли, а заодно еще и мазь. В последнее время травмированная нога нещадно болела в сырые ночи.

Когда она вернулась, клиент уже сидел у ее стола, а Игорь возился с кофеваркой.

— Извините, добрый день, — приветливо произнесла она с порога и обомлела: клиентом оказался Никита, лучший друг и помощник Алексея.

— Туська, ты? — ошеломленно спросил он. — Ты что, здесь работаешь?

Вот и все, с тоской подумала она.

— Да, Никита, я здесь работаю. А что тебя сюда привело?

— Ты не поверишь, но... Я пришел сюда, чтобы найти тебя. И нашел значительно быстрее и дешевле. Обалдеть, чего угодно ожидал, только не этого.

— Наталь Дмитна, я вам нужен? — деликатно осведомился Игорь.

— Спасибо, Игорек, все нормально.

— Тогда я посижу пока у шефа, а?

— Да-да, конечно.

— Может, даже посплю на диване.

Игорь вошел в кабинет и плотно прикрыл за собой дверь. Интересное кино нарисовалось, подумал он. Это кто, муж, что ли?

— Да, Туська, отмочила ты номер!

— Никита, какой номер? Просто ушла от Лешки, вот и все. Это он тебя прислал?

— Нет, Нина Михайловна попросила. Когда-то твой новый шеф здорово мне помог в одном деле, вот я и решил опять к нему обратиться... Надо же, обрадую ее.

— А... А зачем ей меня искать?

— Вот и я думаю: зачем? Но она, видишь ли, скучает по тебе, волнуется за тебя.

— А Лешка? — чуть помедлив, спросила она.

— А Лешка... Первое время волновался, совесть его мучила, а сейчас... Ты ж его знаешь, деловой как сто китайцев, сотрудников загонял совсем...

— Никит, ты чего глаза прячешь? У него кто-то есть?

— Кто-то есть.

— Но ты не знаешь?

— Почему? Знаю. Лика.

— Сколько ей лет?

— Двадцать два. А тебе зачем?

— Нет, просто так, из любопытства, — даже с некоторым удовлетворением ответила Туся. — Я так и думала... Я с самого начала чувствовала, что этим кончится.

— Послушай, но ты же сама от него ушла! И вообще, я давно знаю: если ждешь пакости, ты эту пакость непременно получишь!

— Кто-то мне уже говорил что-то подобное...

— А вообще-то, Туська, ты глупость сделала, Лешка иногда ходил налево, но тебя любил... А с Ликой уже начал ругаться. Думаю, она долго не удержится. Вернулась бы ты, а?

— Она что, живет в нашей квартире?

— А ты как думала? С твоим мужем, с твоим котом.

— Как с котом? — потрясенно спросила Туся. — С Мамзиком? Но он же пропал!

— Нашелся. Ой, ты чего ревешь? Из-за кота, что ли?

— Да. Я так его любила...

— Лешка тоже в нем души не чает. Боюсь, он его тебе не отдаст. Ну ладно, кончай реветь и скажи, как мне быть с Ниной Михайловной.

— Никита, пожалуйста, я сама ей позвоню, вот прямо сегодня. Только ты Лешке ничего не говори.

— Господи, сколько тайн! — поморщился Никита. — Нина Михайловна тоже почему-то не велела говорить Лешке, что я тебя ищу... Что все это значит, скажи на милость?

— Да ничего... Просто...

— Так я и поверю! Вы дождетесь, что я сам от себя к Трунову обращусь, чтобы разоблачил ваши тайны.

— Не обратишься, это дорого стоит, а ты парень экономный.

— Что верно, то верно, тратить деньги попусту не люблю, но журналистское любопытство может и не на такое толкнуть. — Он хитро подмигнул ей.

Она испуганно дернулась, залилась краской.

— О, как все запущено! Чую я, это какие-то ваши бабские, и скорее всего блядские, тайны. Не хочу я в них копаться. Не мой профиль. Ну вот что, дорогуша, давай сейчас же звони Нине Михайловне. Я человек добросовестный, если за что-то взялся... А то ты мне скажешь, что позвонишь, а сама наврешь и опять куда-нибудь слиняешь. Звони.

— Хорошо. — Она испытала облегчение. Ей давно уже хотелось позвонить Ниночке, увидеться с ней, но было боязно. А теперь уж некуда деваться.

— Алло, Ниночка, это я...

— Господи, ну слава богу! Я уж тебя с собаками ищу!

— Знаю, вот тут одна ищейка уже сидит...

— Никита? Тебя Никита нашел. Так быстро? Туська, родненькая, мне так тебя не хватает! Ну что с тобой, неужели ты...

— Ниночка, я сегодня после работы к вам приеду, ладно?

— Ну конечно, конечно, буду тебя ждать, только не обмани! — В голосе свекрови слышалась мольба.

— Нет, я приеду, только...

— Никого не будет, не бойся.

— Спасибо вам.

— Ну слава богу! — заметил Никита. — Слушай, это редкость, чтобы свекровь с невесткой так дружили... Тусь, а ты чего малахольная какая-то стала, а?

— Малахольная? Может, ты прав...

Трунов появился лишь во второй половине дня.

— Привет, сотруднички! Ждете, маетесь? Да, доложу я вам, други мои: хуже родственничков ничего еще не придумано! Это ж с каким дерьмом приходится возиться! Мне казалось, меня уж ничем не удивишь... Фу! Ну да ничего, наше дело правое, победа будет за нами! Представляете, эта баба начала мне нашептывать, что Светка моя мужиков к себе водила... Но не на того напала! Я ей сказал: «Конечно, водила, потому как женщина красивая, теперь водить не будет, потому как замуж вышла. А у вас, гражданочка, совсем совести нет». Но я тоже хорош, нашел с кем о совести разговаривать... Верите, всю жизнь в уголовном розыске проработал, а перед этой гадиной дураком себя чувствую... Ничего в ней человеческого не осталось. И бабьего тоже. А ведь была, наверное, хорошенькая. Фу, фу! Кабы не ремонт, дня бы там не выдержал! А тебе, Наташ, спасибо, что со Светкой познакомила. А то бы баба золотая пропала, да и я бы болтался как говно в проруби!

— Но они все же притихли? — полюбопытствовала Туся.

— А як же ж! Это она с добрыми намерениями, так сказать, на Светку глаза мне открывала. Они сейчас консультируются, как им быть в такой неприятной ситуации. Меня, пока я не прописан и не расписан, можно с милицией выселить, но они ж понимают, что это ссать против ветра... Ну, клиенты были?

— Ни одного, — ответил за Тусю Игорь.

— Ладно, гуляйте, я тут пока посижу покумекаю... Идите-идите! До завтра!

— Видать, у шефа серьезные какие-то дела наклевываются, — сказал уже в коридоре Игорь. — Он когда всех выпроваживает, значит, обшарит сейчас весь офис на предмет жучков, а потом у него будет какой-нибудь сильно конфиденциальный клиент, о котором даже нам знать не положено.

— А может, он просто выспаться хочет? — улыбнулась Туся. — Думаю, в коммуналке, да с любимой женщиной, он не очень-то...

— Да, Наталь Дмитна, что значит умная женщина! — восхищенно хлопнул в ладоши Игорь. — Точно! Если б секретный клиент, он не стал бы с нами разговоры разговаривать про злодеев-родственников, а сразу попросил бы удалиться! Ну надо ж, во дает, старик!

Глава пятая

Эйфория снежного московского вечера давно сменилась непрекращающейся серой тоской. Опускались руки, работа не шла, все казалось бессмысленным. Короче, жизнь утратила вкус, запахи и краски. Не может быть, что это из-за бабы. Ерунда, просто я старею, и это как раз первый признак старости. Кризис... Я не пережил пресловутого кризиса среднего возраста, вот он теперь с большим опозданием ко мне и подобрался. А может, хорошо, что ее нет, а то кисло бы ей сейчас пришлось со мной таким... А может, я таким и не был бы, будь она здесь? Она улыбалась бы мне, смеялась этим чудным смехом, спала бы рядом и говорила со мной... по-русски. Ах, какое, оказывается, блаженство говорить по-русски! Совсем, совсем не надо напрягаться... Хотя молодежь говорит на каком-то малопонятном языке, и все же, все же... Какое мне дело до молодежного сленга? Он и в Бразилии есть, и во Франции и тоже мало понятен людям моего возраста. Конечно, я неплохо знаю португальский, да и французский тоже, но всех тонкостей, всех нюансов все равно не улавливаю. А там... Что это? Пресловутая ностальгия? Старость? Или все-таки совсем уж диковинная штука — любовь? Неужто все, что о ней насочиняли, не красивая сказочка, а реальность и надо было дожить до пятидесяти восьми лет, чтобы в этом убедиться? Первый раз я влюбился в девочку, когда мне было лет семь. Кажется, ее звали Маша. Да, Маша Либерман из параллельного второго класса, потому что в первом мы еще учились отдельно от девчонок. Значит, мне было уже восемь. Смешно, но я помню эту Машу... Черненькая, стриженая, курносенькая, она носила форму с кружевным воротником-стоечкой. Такой воротничок был почему-то только у нее. Или я просто не замечал у других девчонок? Нет, в нашем классе точно у всех были отложные воротники. Бред сивого мерина! Нашел что вспомнить. Но я вовсе не мерин... И мне нужна эта женщина. Угораздило же втюриться в жену собственного сына... Это мне в наказание за отсутствие любви. Но разве я виноват, что так поздно встретил ее? Но лучше поздно, чем никогда... Хотя кому лучше? Я ведь этой любовью столько дров наломал. Разбил жизнь ей, сыну, да и Ниночке тоже навредил... Черт, что это со мной? Муки совести, что ли? Вот уж воистину дивное диво! Значит, я вовсе не такой бессовестный тип, каким сам себе казался? Но я был бессовестным лишь в отношении баб... потому что не любил... Да и потом, что плохого я им делал? Не любил? Так насильно же не полюбишь. Уходил, не оглядываясь? Но я же всегда их предупреждал с самого начала, чтобы не рассчитывали на что-то серьезное. А они все равно всегда на что-то рассчитывали. Всегда, без единого исключения. Я обманывал их надежды, разочаровывал... Что ж, это жизнь. Ты не хотел себя ни с кем связывать, так вот же тебе, старый кобель... Как говорили в детстве: «Получи, фашист, гранату!» А может, это вовсе и не любовь? Началось все это с элементарного сексуального шока. Нас бросило друг к другу. Она оказалась потрясающей любовницей, но я тут же узнал, что она моя невестка. Сначала ты, старина, испугался, а потом ощутил восхитительную пикантность ситуации, так, что ли? Или тогда уже полюбил? А полюбил ли? Похоже на то. Ты же натворил массу глупостей... Встретился с ней еще и окончательно сошел с ума. Сделал даже предложение... Совсем, что ли, рехнулся? А когда получил ее письмо, чуть руки на себя не наложил. Метался, искал... А потом к Нинке поперся, пусть, мол, сечет повинную голову... Бред, бред... Бред сивого кобеля... Точно, я не сивый мерин, а сивый кобель! Ах, как хорошо играть русскими словами... Сивый кобель... Это уже почти мышиный жеребчик, вспомнил он. Интересно, а кто-то еще помнит это выражение — мышиный жеребчик? Какая, в сущности, гадость... Нет, не хочу!

Сколько раз мне бабы говорили, что я кобель. А сивый... Что ж, действительно уже сивый. Впрочем, это можно назвать и благородными сединами. Кажется, было такое амплуа — благородный отец. Тьфу, это не обо мне. Я неблагородный отец с благородными сединами. Да разве я отец, в сущности? Интересно, а не поперся бы я тогда к Нинке в день ее рождения? Что было бы? А ничего не было бы. Ничего. Спокойная жизнь на ферме, эксклюзивные изразцы, Маркиз, изредка приезжала бы из Марселя Симона, изредка я ездил бы в Париж... Эх, старина, сказал бы тебе лет в двадцать кто-то, что на старости лет ты скучливо будешь думать, что ездил бы изредка в Париж... Ты и мечтать о таком не мог. И жалуешься еще? Жалуюсь, я жалуюсь, потому что мне на старости лет несказанно повезло, я встретил женщину, с которой мне не страшно стареть. Но ее нет со мной. И не будет! Она так хороша, так желанна, у нее небось уже тысячи поклонников за это время образовались... Или она вернулась к Лешке? И я умру от ревности. А ты вообще рядом с ней будешь умирать от ревности... Но к кому ревновать ее здесь? К мсье Верне, старому почтальону? Нет, ты всегда, до самой смерти будешь ревновать ее к собственному сыну, который столько лет обладал ею. Да нет, просто и примитивно трахал ее, столько, сколько хотел и мог. А мог он, наверное, много... Нет, от этой мысли можно спятить. Да я и спятил уже. Окончательно и бесповоротно. У меня, вероятно, начинается мужской климакс и едет крыша, как они теперь там, в России, говорят. А Нинка постарела... Ну еще бы... мы с ней почти ровесники... Так почему я все-таки пошел к ней? Хотел видеть сына? Повиниться перед ним? Зачем это ему? Да и мне не больно надо. Хотелось просто произвести впечатление? Вспомнить прошлое? Бред, бред. А в Москву за каким чертом тебя понесло? Все та же ностальгия? Вероятно. Хотя той, прежней, Москвы уже нет... Совсем другой город. Хуже? Лучше? Бог его знает. Наряднее, это безусловно. Москва моей юности была как стареющая женщина с уже едва уловимыми следами былой красоты, а теперь... ей как будто сделали пластическую операцию, да не одну, а множество, как Элизабет Тэйлор. Нет, это неправильное сравнение. На Элизабет Тэйлор уже страшно смотреть... А в Москве появилось такое количество красивых женщин, что просто диву даешься. Ах, хорошо — «диву даешься»... В Бразилии тоже много красивых баб, а вот во Франции с этим проблемы... Да на черта мне все красивые бабы мира? Мне нужна только одна моя Туся, моя «маленькая балерина»... А вдруг она все-таки вернулась к мужу?

Он бросился к телефону и набрал номер. Ответил звонкий молодой женский голос.

— Алло! Алло! Говорите!

— Скажите пожалуйста, Наталья Дмитриевна дома?

— А она здесь больше не живет.

— Простите, ради бога, вы не скажете, как мне ее найти?

— Понятия не имею!

Он хотел еще что-то спросить, но юное создание уже повесило трубку.

Ура, она не вернулась! А сын, кажется, в меня —

уже обзавелся другой... Идиот! Кретин! Упустить такую женщину... Господи, что у меня в голове? Винегрет какой-то, впрочем, совершенно несъедобный. И что мне теперь со всем этим делать? Нинка обещала найти ее... может, уже и нашла... Но не станет же она своими руками подталкивать ее ко мне? Абсурд! Чушь! Она, конечно, редкий экземпляр, Нинка, но не настолько же? Или настолько? Он набрал номер бывшей жены. Но там никто не ответил. Может, пойти и напиться? А куда идти? На кухню? Да, пойду и напьюсь.

Он пошел и напился.

Весна уже чувствовалась в воздухе. И солнце светило.

— Вы спешите, Наталь Дмитна?

— Нет, Игорь, не спешу.

— Может, вас куда-нибудь подвезти?

— Спасибо, не надо. Я, наоборот, хочу пройтись пешком, такая погода...

— А может, тогда в кафешку зайдем, посидим зачуток?

— Нет. Спасибо. Ты поезжай, Игорь.

— Ладно, тогда до завтра! — тяжело вздохнул он. — Ну я пошел, да?

Влюбился он в меня, что ли? Вот глупый... Да нет, мне просто кажется. Вон, я считала, что Трунов ко мне неравнодушен, а он влюбился в Светлану Сергеевну. Хотя одно другому не мешает. В общем, наверное, все не так уж плохо в этом мире, если в меня еще можно влюбиться. В сумке зазвонил мобильник. Она давно поменяла номер, и мало кто знал новый.

— Я слушаю!

— Это Наталья?

— Да.

— С вами говорит жена Сергея Леонидовича Митрохина.

— Слушаю вас, — крайне удивилась Туся.

— Мне совершенно необходимо с вами встретиться, и чем скорее, тем лучше. Вы сейчас можете?

— Извините, но что случилось?

— Объясню при встрече! Говорите, куда мне подъехать? Я на машине!

— Знаете, это так неожиданно...

— Для меня тоже. Вы сейчас дома?

— Нет, я на работе.

— Еще лучше. Я приеду к вам на работу! Говорите адрес!

— Я буду вас ждать в кафе. У нас тут на углу кафе-мороженое.

Она назвала улицу и номер дома.

— Вот и славно! Буду через пятнадцать минут.

Интересно, что ей от меня нужно? Ума не приложу. Ладно, скоро выяснится. А тон у нее странный — агрессивный, неприятный...

Туся вошла в небольшое кафе и заказала себе мороженое с шоколадом. Интересно, я ее узнаю? Мы виделись раза два, и то очень давно. Кажется, она пергидрольная блондинка. А может, я путаю... Хорошо, что Трунов отпустил нас пораньше, а то вперлась бы в офис. Мало ли что ей в голову взбредет... А может, Татьяна Реджинальдовна и впрямь отдала драгоценности невесть кому, например любовнице сына, а Зизи сказала, что это моя идея? Или она приревновала мужа ко мне? Подслушала телефонный разговор? И зачем я, дура, согласилась с ней встретиться? И как жаль, что Игорь уже уехал. Может, позвонить ему и попросить вернуться? Да нет, глупости! Скорее всего, эта тетка хочет мне что-нибудь отдать из вещей покойной свекрови... Впрочем, это маловероятно. Какая тут срочность?

Но вот дверь кафе распахнулась, и на пороге появилась дама за пятьдесят в элегантной шубе из тонкого серого каракуля с голубой норкой. Волосы у нее были цвета воронова крыла.

— Здравствуйте! — сказала она и села за столик, не сняв шубы.

Какое неприятное лицо, поежилась Туся.

— Здравствуйте. Что случилось?

— Да кое-что случилось... — довольно зловеще проговорила дама и расстегнула шубу.

Браслет! — Вдруг мелькнуло в голове у Туси.

— Так все-таки в чем дело?

— А вы не догадываетесь? Странно! Я бы на вашем месте так спокойно себя не чувствовала. А у вас выдержка, как я погляжу.

— Послушайте, я не помню вашего имени-отчества...

— Нелли Ивановна.

— Так в чем дело, Нелли Ивановна? У вас такой странный тон...

— У меня тон вполне естественный в сложившейся ситуации! Я хочу вас предупредить: если вы не отдадите драгоценности, я заявлю в милицию! Вы украли у полоумной старухи целое состояние и надеетесь, что я с этим смирюсь? Благодарите Бога и моего дурака-мужа, что у вас еще не провели обыск. Я в память свекрови даю вам шанс обойтись без вмешательства правоохранительных органов. Вот тут список украденных вещей, и если хоть одно колечко пропало...

— Вы что, с ума сошли? Я, по-вашему, воровка? — взвилась Туся — Я обокрала Татьяну Реджинальдовну, так, что ли?

— Именно так и никак иначе!

— Здорово придумано! Но с таким же успехом можно обвинить хоть Боньку! Кстати, что с ним?

— Какой еще Бонька? — опешила мерзкая баба.

— Собака Татьяны Реджинальдовны.

— А, его усыпили. Дачу я продаю!

— Позвольте, но ведь вы только через полгода сможете распоряжаться наследством. И не факт еще, что дача завещана вам.

Что я несу? — ужаснулась Туся.

— А, так вы еще и на дачу глаз положили? Обработали полоумную старуху? Но не надейтесь! Мой муж наследник первой очереди, а вы наглая тварь. Но это дело будущего, а пока что я требую, чтобы вы вернули драгоценности.

— У меня нет драгоценностей. Только один браслет, который мне подарила Татьяна Реджинальдовна. Если вас так разбирает, извольте, я вам его верну, хотя это было мне подарено от чистого сердца.

— Думаешь отделаться одним браслетом? Не выйдет!

— Да что вы тут руками машете? Завтра в шесть вечера здесь же я вам верну браслет.

— Значит, не хочешь? По-хорошему не хочешь? Будет по-плохому! Я сейчас же иду в милицию!

— Да на здоровье! Пошли вместе. Вы заявите на меня, а я на вас. За оскорбление, например. Потребую возмещения морального ущерба. К тому же вы блефуете, никуда вы не пойдете.

— Пойду, и немедленно!

— Не пойдете. Вашему мужу нужен подобный скандал? Боюсь, он вас не поблагодарит. Он все-таки крупный государственный чиновник, и скандал в прессе... а я вам гарантирую скандал в прессе. Как-никак мой муж главный редактор...

— О, отличная мысль, я сообщу вашему мужу, что у него жена воровка.

— А он не поверит. И привлечет вас за клевету! И можете не сомневаться, что он это дело выиграет!

— Послушайте, вы! Хватит угрожать! Отдайте мои драгоценности, и покончим с этим.

— Я уже сказала, что у меня есть только подаренный браслет и его я вам отдам. Нет, не вам, а вашему мужу... Это его наследство, а не ваше. Покойная Татьяна Реджинальдовна вас терпеть не могла, и теперь я хорошо понимаю почему...

Мерзкая баба побагровела.

— Значит, по-хорошему не хочешь? Будет по-плохому!

— Вы мне угрожаете? Не советую! Должна вам сообщить, что работаю в детективном агентстве. Я сию минуту вернусь на работу и расскажу о ваших угрозах своему шефу. Так что не советую нанимать братков или что-то в этом роде. Вас тут же посадят, немедленно! Даже если я сломаю ногу, просто поскользнувшись на улице, все равно в этом обвинят вас. Поэтому молите Бога, чтобы со мной ничего не случилось. А что касается браслета... — она уже задыхалась от ярости, но с нарочитым спокойствием достала из сумки мобильник и набрала номер Трунова. — Владимир Иосифович, простите, что помешала... Но у меня чрезвычайные обстоятельства. Тут одна дама, жена высокопоставленного чиновника, угрожает мне... Да, я через десять минут вернусь и все расскажу! Спасибо! Ну вот, а теперь разойдемся. Вы получите браслет, не сомневайтесь!

— Ах ты сучка! Дрянь подзаборная! Я тебе еще отомщу!

Туся вытащила из сумки пудреницу.

— Ты у меня еще попляшешь, воровка!

— Говорите-говорите! Я все записываю! У меня в пудренице диктофон, когда вы мне позвонили, я предвидела что-то в этом роде и на всякий случай взяла с собой... Для начала я дам послушать это своему шефу, а потом уж вашему мужу, кстати, я сейчас же ему позвоню. Всего наилучшего.

Великолепным жестом она бросила на столик деньги за мороженое, встала и вышла из кафе, безмерно собой удивленная. Откуда что вдруг взялось? По всей моей жизни я должна была бы бессильно разрыдаться, испугаться, лепетать что-то, оправдываться в несовершенных преступлениях, а я... Она ликовала! Я смогла, я смогла постоять за себя!

В абсолютной эйфории она вернулась в офис. Вид у Трунова был действительно заспанный.

— Ну что у тебя стряслось?

Она подробно рассказала шефу всю историю.

— Ну молодчина! Я тобой горжусь! Я думал, что

ты немного... как бы тебе сказать... малахольная, что ли. А ты просто бой-баба.

— Вообще-то я не бой-баба, сама удивляюсь, откуда что берется.

— Неважно откуда, главное, что не растерялась в трудную минуту. А браслет и впрямь отдашь?

— Отдам! Мне на него и смотреть-то будет тошно. Но только мужу.

— А он что собой представляет?

— Он, в общем-то, неплохой, кажется. Но под каблуком у этой твари...

— Да ну, неплохой... Вон моя Светка тоже лопочет — брат, в общем-то, был хороший, вот его жена... Глупость! Раз всю жизнь с такой падлой прожил, значит, и сам дерьмо полное, вот так! Но все же ты ему позвони. Надо ее обезвредить! А насчет пудреницы ты здорово смикитила.

Туся позвонила Сергею Леонидовичу на мобильный. Он откликнулся сразу.

— Наташа, что-то случилось?

— Да, случилось. Сергей Леонидович, я хочу как можно скорее встретиться с вами и отдать подаренный мне вашей матерью браслет.

— Наташа, но зачем же возвращать подарок?

— Затем, что у меня только что была ваша жена...

— Что? Зачем?

— Она обвинила меня в краже всех драгоценностей Татьяны Реджинальдовны.

— Боже мой!

— Она вела себя чудовищно, хамила, угрожала, даже намекнула на возможность физической расправы. Поэтому я не хочу иметь ничего...

— Но на память о маме... Не волнуйтесь, я поговорю с Нелли...

— Знаете, я и без браслета не забуду вашу маму и приду на захоронение. А вы уж там разберитесь с пропавшими драгоценностями.

— Да-да, разумеется... Они, в общем-то, не совсем пропали...

И опять Туся словно бы воочию увидела, как он заливается краской.

— Сергей Леонидович, не хотите же вы сказать, что сами пристроили эти ценности?

— Мама отдала их мне для... словом, для...

— Для вашей любовницы? — не пощадила его Туся.

— Ну... можно и так сказать...

— Боюсь, этой даме придется с ними расстаться.

— Туся, простите, ради бога, моя жена своеобразный человек, но я... я справлюсь...

— Сергей Леонидович, это меня не касается, я только хочу как можно скорее вернуть вам браслет. Если можно — завтра с самого утра!

— Да-да, хорошо, где мы можем встретиться? У меня в девять совещание, очень важное...

— Хорошо, в половине девятого я буду вас ждать...

— Да-да, непременно, если вы настаиваете... Поверьте, мне безумно неприятно!

— Верю!

Когда она опять вышла на улицу, уже начинало смеркаться. Фу, как я устала! Но что это со мной? Я как будто вмиг стала взрослой. Смешно до ужаса, в сорок-то лет! Наверное, я дегенератка все-таки, несмотря на немалый жизненный опыт. А не уйди я от Лешки, я бы не повзрослела до конца жизни и была бы комической старухой... «Ах, деточка, я ничего не понимаю в этой жизни, меня всегда баловали мужчины, а сама я...» Слава богу! Слава богу, что все случилось именно так, как случилось! Но разговор с этой гнусной бабой дался нелегко, я как выжатый лимон... И как я наглости набралась? Здорово, просто здорово все получилось. Хотя... Интересно, а если бы я не работала в детективном агентстве, я тоже была бы такой храброй, а? Не уверена. Но ведь я там работаю! Да ерунда все это, главное, что я смогла за себя постоять, а уж почему — неважно! Все на свете происходит по какой-то причине. Главное, что это произошло... Какой сегодня длиннющий день, сколько он в себя вместил... Ох, я же обещала Ниночке приехать. Правда, сил уже нет, но она же ждет... Ладно, сегодня можно позволить себе взять такси. Надо только еще купить цветов. И шампанского — отметить мое взросление. Только говорить об этом нельзя даже Ниночке. Засмеет. Ладно, обойдусь без шампанского!

— Туська, дурища ты моя родная! — закричала Нина Михайловна, обнимая невестку. — Ну дай я на тебя погляжу. Какая-то ты другая стала.

— Вы прекрасно выглядите, Ниночка! Я так рада вас видеть, я так скучала...

— И я... Знаешь, может, это дико, но я поняла, что ты мне самый близкий человек и так мне тебя не хватало... Тьфу, кажется, мы сейчас начнем лить слезы. Но мы не станем портить себе глаза, правда?

— Правда.

— Ты голодная?

— Ужасно! Я с работы, и столько было всего...

— Сейчас, сейчас, у меня хороший ужин... Постой, а где ты работаешь?

— Вы не поверите — в детективном агентстве. В том самом, куда заявился Никита.

— Шутишь?

— Нисколько. Можете себе представить, как он удивился?

— С ума сойти! Туська, а кем же ты там работаешь?

— Секретарем. И еще немножко агентом...

— Обалдеть! Каким агентом?

— Я потом расскажу, мне просто один раз дали задание... Но это неважно. Господи, Ниночка, как я рада...

— Ладно, хватит обниматься, садись за стол.

— О, ваш весенний деликатес, редиска!

— Да, я уже в феврале смертельно хочу редиски.

— А в мае и глядеть на нее не будете.

— Это точно! Слава богу, теперь ее можно есть круглый год. Бери ветчину, ты же любишь такую. И вот рокфор...

— Спасибо, я все возьму.

— Ты не думай, будет еще горячее.

— Спасибо, Ниночка...

— Туська, ты одна?

— Что?

— Ну, мужика у тебя нет?

— Нет, и слава богу.

— А у Лешки есть... девушка...

— Я знаю, Лика, мне Никита сказал. Ниночка, а как Мамзик, я же думала, что он пропал... Мне показалось, что вся моя жизнь рухнула...

— Из-за кота?

— Это было последней каплей. Но вы знаете, я рада, что так все получилось. Мне полезно жить одной.

— Но ты и раньше подолгу жила одна, до Лешки...

— Да, жила, но считала, что это беда, что это неправильно, я страдала...

— А сейчас?

— Сейчас все по-другому. Ладно, Ниночка, расскажите лучше, как ваши дела, как Мстислав Сергеевич?

— Да ничего, все нормально. Изредка звонит, изредка приходит...

— Вы разочарованы?

— Да нет, что ты! Я рада, что он у меня есть. И я уверена, если что-то серьезное случится, он поможет. Но... Знаешь, он почти никогда ни о чем меня не спрашивает. Он говорит сам. Он жуткий эгоцентрик, все о себе да о себе. Я о нем все знаю, а он обо мне — практически ничего. Я начну ему что-то рассказывать, а он даже сосредоточиться не может на моем рассказе, только и ждет момента перебить меня...

— А съездили-то вы как на Новый год?

— Отлично съездили, просто восторг! Туська, скажи, ты Лешку совсем уже не любишь?

— Ниночка, милая, я не знаю... Наверное, нет... Я пережила такой шок...

— Из-за Кирилла?

— Да. Это ужасно. Я так виню себя... Я не должна была...

— Так ты же не знала, кто он.

— Но ведь все случилось так быстро, просто мгновенно... Я не должна была... Но это оказалось сильнее меня... Ничего похожего никогда не испытывала... и уже не испытаю, наверное...

— Он так тебе понравился?

— До ужаса... — еле слышно призналась Туся.

— Как мужчина?

— Да, невероятно...

— Вот странно... а мне с ним как-то не очень было. Может, он за эти годы научился... Или просто мы с ним не подходили друг другу. Надо же, как бывает... Впрочем, по мне он так с ума не сходил, как по тебе. Можешь вообразить, что он явился сюда...

— Вы говорили.

— Ах да... Он страдает, Туська. По-настоящему. А ты?

— А я запретила себе даже думать о нем.

— И получается?

— Сначала не очень, а теперь... тоже не очень, но я справлюсь. Я, Ниночка, поняла: мне лучше одной, полезнее, я теперь могу сама за себя постоять, а раньше... не очень.

И Туся рассказала любимой свекрови о своем сегодняшнем подвиге.

— Молодец, Тусечка, умница! — горячо одобрила ее Нина Михайловна. — Только знаешь что, давай не будем друг дружку терять, что бы там судьба ни выкинула... даже если ты с Кириллом сойдешь-ся... ладно? Мы с ним, в общем-то, хорошо встрети-лись, я даже не ожидала, несмотря ни на что... Я, правда, как-то не удосужилась у него спросить, ка-кого черта он тогда ко мне заявился, в день рожде-ния... Он, Туська, хорошо, красиво стареет... Знаешь, меня его визит и рассказ о... ну, о вашем романе, тог-да потряс, а потом я подумала: а что тут такого? В истории подобное часто встречается. Но если ща-дить чувства... в данном конкретном случае Лешки-ны чувства, то почему бы и нет? Если ты его лю-бишь...

— Я его ненавижу.

— Да любишь... Ненависть — это так... защита... Он тоже, кажется, любит тебя...

— Нет, Ниночка, я не хочу...

— Почему?

Но тут раздался телефонный звонок.

— Алло! — ответила Нина Михайловна.

— Привет, мать! У тебя там любовника нет?

— Нет, — растерялась Нина Михайловна.

— Вот и чудненько, я сейчас зайду!

— Леш, это...

— Да я тут уже, внизу! Пока!

— Это Лешка! Он уже внизу!

— Ой, я побегу!

— Еще чего! В конце концов вы должны когда-то встретиться.

— Но я сейчас... Не готова...

— Ерунда, ты чудесно выглядишь! Беги в ванную, приведи мордашку в порядок. Мало ли, вдруг опять что-то сладится...

— Нет, — решительно ответила Туся, но в ванную побежала.

— Привет, мать. Как дела?

— Нормально. А что вдруг такая срочность?

— Да ничего, просто был в соседнем доме, дай, думаю, навещу родную маму. Ты не рада?

— Да у меня тут гостья...

— Так не съем я твою гостью. А где она? И кто это? Я ее знаю?

— Знаешь, — вздохнула Нина Михайловна. — Она сейчас придет.

Он вдруг заволновался.

— Это, часом, не Туська?

— Она. Туся, иди сюда.

Но она уже стояла в дверях кухни.

— Привет, Леш!

— Привет... Ты куда пропала?

— Да я не пропала, как видишь. Как там Мамзик?

— Вырос, уже такой здоровый стал...

— Лешик, ужинать будешь? — спросила Нина Михайловна.

— Не откажусь... А выпить у тебя нечего, мать?

— Ты же за рулем!

— Ерунда! Доеду! А в крайнем случае у тебя переночую. Дай выпить, мать, мне надо!

— Ну, если надо...

— Мать, а ты все это время знала, где она?

— Она? Лешик, ты же знаешь, я хамства не люблю.

— А вот так меня кинуть — это, по-твоему, не хамство? Да? Чтобы я терялся в догадках, чувствовал себя виноватым незнамо в чем...

— Знамо, Лешик, знамо.

— Чушь собачья! Ты где живешь? — Он ткнул пальцем в Тусю. — А главное с кем?

— Я одна живу, а где — неважно. И у Ниночки я сегодня первый раз.

— Да, мы случайно встретились на улице, и я ее к себе затащила.

Алексей налил водки не в рюмку, которую дала мать, а в чайную чашку и залпом выпил.

— Уф! — Он сморщился, помотал головой. — А ты изменилась... — Он пристально смотрел на бывшую жену. — Ты расслабилась, да? Ты же со мной никогда не расслаблялась, верно?

— А ты замечал это?

— Наверное, да, но не отдавал себе в этом отчета. Я просто тоже устал от этого. Неправильно выразился. Не устал, а уставал периодически, вот и пускался в загулы...

А сын-то мой не такая уж дубина, с радостью подумала Нина Михайловна. Не такой уж толстокожий...

Она тихонько вышла из комнаты, пускай поговорят. А вдруг сейчас у них что-то получится?

— Наверное, ты прав... Но я ведь тебя с самого начала предупредила, что меня крайне смущает разница в возрасте...

— Да какое значение имеют эти пять лет! Просто ты меня не любила и старалась мне этого не показать... А я уставал от нелюбви...

— Неправда, я тебя любила... А потом что-то сломалось... ладно, Леш, не будем сейчас это ворошить. Что было, то было... и прошло.

— У меня не прошло!

— Тебе кажется, Лешик!

— Нет, не кажется... А давай, что ли... попробуем еще разок... Теперь ты расслабилась...

— Нет, мы не станем пробовать. Хватит уж...

— Но как же ты одна живешь? Ты ж неприспособленная!

— Приспособилась, жизнь заставила.

— Ну как знаешь, умолять не буду! Хватит уж, поунижался, когда ухаживал за тобой. Я теперь за бабами не ухаживаю... Хочешь — пошли! Не хочешь — гуляй! Вот и весь сказ!

— Но у тебя, кажется, есть женщина...

— Ну и что?

— Да ничего. Скажи только, она Мамзика не обижает?

— Попробовала бы она обидеть Мамзика! Знаешь, он чудо! Я как домой прихожу, требует, чтобы я его на руки взял, а то такие обидки... Он когда нашелся, грязный был, худой, ободранный, а сейчас расцвел... Я даже не знал, что можно так любить какого-то котенка...

— Лешик, тебе ребенка надо завести.

— Нет уж, слишком хорошо знаю, на какой пороховой бочке мы живем! Хватит с меня Мамзика!

— Леш, давай разведемся, а?

— Зачем?

— Ну для порядка, чтобы оба были свободны... Мало ли что...

— Давай! Если тебе надо... Только не будем это афишировать. Пусть все считают, что я женат.

— А как можно афишировать развод?

— Ну, если возникнут имущественные претензии...

— У меня нет к тебе претензий. Надеюсь, и у тебя тоже их нет.

— Да что с тебя возьмешь? — усмехнулся он.

— Это правда.

— Ты могла бы претендовать на долю в квартире.

— Нет. У меня есть квартира, к тому же она сдается, деньги мы не трогали, то есть я, конечно, теперь их тронула...

— Ладно, я выплачу тебе часть.

— Не нужно. Я ничего не хочу!

— Знаю, ты такая... бескорыстная интеллигентка... Когда-то мне это нравилось... А потом я понял, что ты просто дура. И чистоплюйка... и я рядом с тобой чувствовал себя меркантильным ублюдком... Я устал... Правда, давай разведемся, и дело с концом. Завтра же поедем и разведемся.

— Отлично. Хватит тебе пить! Ты до дому не доедешь!

— А я и не собираюсь.

— Тогда позвони своей девушке и предупреди. Она же волноваться будет.

— А тебе не все равно? Старица Софья по всему миру сохнет? — злобно выкрикнул он.

Нина Михайловна вернулась на кухню.

— Лешик, не шуми!

— Мать, а чего она?

— Нина Михайловна, я, пожалуй, пойду. Я устала сегодня.

— Я тебя отвезу.

— Нет, мать, я сам ее отвезу, поздно уже.

— Нет, ты за руль не сядешь! Ложись и спи. Я тебя тут закрою и отвезу Тусю.

— Ниночка, не надо, я прекрасно доберусь! А вы тут лучше с ним побудьте.

— Тогда я вызову тебе такси!

— Хорошо, пусть такси.

Туся уехала, а Алексей плюхнулся на диван.

— Мать, она все-таки сука!

— Тебе так легче думать?

— Конечно, легче. Всегда легче думать, что виноват кто-то другой.

ЧАСТЬ ТРЕТЬЯ

Глава первая

> Потянулась без обрыва
> Жизни розовая нить...
>
> *Из песен Б. Абарова*

Время шло. Туся по-прежнему работала в детективном агентстве, но жила теперь в своей маленькой квартирке. С Алексеем они мирно расстались, а с Ниной Михайловной продолжали дружить. Туся успокоилась. И однажды позвонила Але.

— Ну ты даешь! — обиженно протянула та. — Что это ты вдруг обо мне вспомнила?

— Аль, не злись, так получилось. Я понимаю, что поступила как последняя свинья, но не могла иначе. Если можешь, прости.

— Простить-то я тебя прощу... Но все равно это свинство, я ж на тебя рассчитывала с этими абажурами, у меня руки сама знаешь откуда растут... Ладно, проехали. А у меня новость!

— Хорошая?

— Да как сказать... У Влада ребеночек родился!

— Что значит у Влада? На стороне, что ли?

— Ага, на стороне... Девочка... Назвали Аглая, дурацкое имя, да?

— Алька! А он что, ушел от тебя?

— Нет пока. А почему — и сама не знаю...

— Но ты ведь хотела от него сама уйти и плацдарм готовила.

— Ну не все же такие прыткие. Мне стремно както одной остаться...

— Дура ты, Алька! Знаешь, как хорошо одной? Совсем другая жизнь... Особенно к сорока годам... Еще ничего не поздно...

— Да понимаю я все, но... Слушай, что мы по телефону-то? Давай встретимся, что ли?

— Давай! — с радостью согласилась Туся.

— Только я сегодня не могу, давай на неделе?

— Ну, только после работы...

— А ты работаешь? Где?

— При встрече расскажу!

— Слушай, а может, ты меня пристроишь?

— Посмотрим!

— Ну, Туська, ты крутая стала!

Они договорились встретиться в ближайшие дни.

Владимир Иосифович стремительно вошел в приемную и резко остановился, внимательно глядя на Тусю.

— Здравствуйте, шеф!

— Ах да, прости! Слушай, ты французский знаешь?

— Не очень, а что?

— Ну там объясниться в магазине, ресторане можешь?

— Это могу спокойно, а что? Вы хотите меня во Францию послать? — засмеялась она.

— Да нет, это я так, на всякий случай.

Он скрылся у себя в кабинете.

За последние месяцы шеф неузнаваемо изменился. Из довольно обтрепанного бывшего мента стараниями Светланы Сергеевны он превратился во вполне импозантного мужчину. Он по-прежнему не носил галстуков, которые терпеть не мог, но у него появился свой стиль, слегка небрежный, но вполне современный. Он был хорошо подстрижен, носил очки в модной оправе и вообще производил впечатление вполне преуспевающего господина. Светлане Сергеевне все-таки пришлось судиться с братом. Он и его супруга от злости так закусили удила, что не пошли на мировую, и суд разделил их лицевые счета. Она продала свою комнату. А Владимир Иосифович продал свою двухкомнатную квартирку, и на эти деньги они купили опять-таки двухкомнатную, но значительно лучшую и в лучшем районе. Туся и Игорь были свидетелями на их свадьбе. У этой сказки оказался счастливый конец. Добро восторжествовало, а зло было наказано... Редкий случай!

Владимир Иосифович вышел из кабинета и тихо сказал:

— Все, на сегодня пошабашим!

— Что? — не поняла Туся.

— Закрываем контору и едем на важную встречу!

— И я?

— И ты!

Они сели в черную «Волгу» шефа.

— Куда мы едем?

— В ресторан! Загородный. Жутко шикарный!

— Зачем?

— На встречу с олигархом.

— К вам обращаются олигархи?

— Представь себе! Ну он, конечно, не всегда был олигархом, и в той, прошлой, жизни мы были товарищами, так что... Постарайся произвести на него впечатление.

— Опять?

— Нет, тут совсем другое дело! Завлекать его не нужно, да он вряд ли на тебя клюнет.

— Понятно, я уж стара для олигарха.

— А ты хочешь захороводить олигарха?

— Да боже сохрани! А все-таки зачем мы с ним встречаемся?

— Все вопросы, а главное, ответы — после встречи.

Туся только плечами пожала.

Они приехали в загородный ресторан, возле которого стояло три машины, одна другой шикарнее. Возле дверей возвышались два парня гренадерского роста и телосложения.

При виде приехавшей пары они напряглись. Владимир Иосифович что-то сказал им, они вежливо посторонились, но все-таки ощупали его и попросили Тусю открыть сумочку. Наконец их провели в ресторан, где не было ни души. Они сели за столик у окна, выходящего на реку.

— Как тут приятно, — сказала Туся. — А что, ваш олигарх снял весь ресторан?

— Видимо, да. А может, в будни среди дня тут вообще никого не бывает. Цены тут, говорят, заоблачные.

И вот откуда-то с противоположной выходу стороны появился мужчина лет сорока пяти, с вполне интеллигентным лицом.

— Володька, привет! Сиди, сиди! — Мужчина сел за их столик и очень внимательно посмотрел на Тусю. — Будем знакомы! Борис Борисович!

— Наталья Дмитриевна!

— Очень приятно!

Он церемонно поцеловал протянутую руку.

Тут вышколенный официант принес меню в нарочито дерюжных переплетах с многочисленными сургучными печатями. А дальше начался обычный обед, очень вкусный и шикарный. Олигарх и его старый товарищ непринужденно беседовали о каких-то неведомых Тусе людях, что-то вспоминали, смеялись.

Интересно, за каким чертом меня сюда привезли? Этот тип ничего не спрашивает, только как-то странно иногда на меня смотрит. Когда подали десерт — фантастический струдель с вишнями, горячий, с горкой взбитых сливок, олигарх произнес удовлетворенно:

— Отлично, Володька! Я доволен!

К чему это относилось? Неужто к обеду?

— Ну, вы тут доедайте, а я поеду, времени нет! Так завтра я тебя жду! — И он удалился.

— Жду вопросов, — улыбнулся Трунов.

— Владимир Иосифович, я давно не чувствовала себя такой идиоткой!

— Это не вопрос, а утверждение.

— Тогда что все это значит? Зачем мы тут обедали, чтобы вы предавались воспоминаниями молодости? А я здесь при чем?

— Это уже целых три вопроса!

— Владимир Иосифович!

— Ладно, объясню по мере возможности. Нам предстоит очень важное и ответственное дело.

— Кому — нам?

— Ну мне. А теперь уже понятно, что и тебе. Значит, нам с тобой. Тебе были устроены смотрины.

— Какие смотрины? — безмерно удивилась Туся. — Зачем?

— Его олигаршество желал лично рассмотреть твою кандидатуру. И ты прошла испытание.

— Какое испытание? Для чего?

— Понимаешь, в интересах дела нам нужно набросать примерный сценарий наших действий и расписать роли. Сечешь?

— Нет, не секу! — начала уже сердиться Туся. — Мы что, в кино будем сниматься?

— Не будем! Но... Короче, завтра после встречи с Борькой я все тебе подробно объясню. А пока ты уж потерпи.

— Нет, это черт знает что! — возмутилась Туся. — Я вам что, марионетка?

— Не злись, Наталочка! Если все состоится, мы очень прилично заработаем. А пока... Скажу пока одно: освежи немножко свой французский.

— Боже, зачем? Вы что, хотите меня забросить в тыл врага?

— Ты не так уж далека от истины!

Весь вечер Туся терялась в догадках — что все это значит. А утром Трунова в офисе не было, и она опять позвонила Альке уточнить время встречи. Но не успела и двух слов сказать, как явился шеф, и разговор пришлось отложить.

— Наташа, пошли прогуляемся, сегодня чудная погода! — заявил он.

Она вытаращила глаза.

— Пошли, пошли, лето на дворе! Мороженого тебе куплю! — Он подмигнул ей.

Она поняла, что это как-то связано со вчерашней встречей.

Они вышли на улицу и направились к небольшому скверу, что находился неподалеку.

— Вы думаете, у нас в офисе прослушка?

— Черт его знает, скорее всего, нет, но береженого Бог бережет.

Он взял ее под руку, и они стали прогуливаться по дорожке вокруг сквера.

— Значит, так, дорогая моя. Через два дня мы летим в Ниццу.

— В Ниццу? — ахнула она.

— В Ниццу, да. И будем там изображать совсем других людей. Ты — изнеженную богатую дамочку, а я... твоего поклонника. Я сперва хотел мужа играть, но тогда нам пришлось бы жить в одном номере.

— Боже мой, зачем все это?

— Нужно!

— Мы будем следить за женой Бориса Борисыча?

— Угадала. Только там дела посерьезнее, чем адюльтер. Кстати, его олигаршество тебя весьма одобрил. Сказал, что у тебя прекрасные манеры и ты вполне сможешь справиться с ролью.

— А почему надо, чтобы...

— Надо! Просто надо! Чем меньше ты знаешь, тем лучше для тебя и для дела. Кстати, вот тебе карточка... — Он вытащил из кармана конвертик и сунул ей в сумку.

— Что это?

— Кредитная карточка. Надо обзавестись необходимым гардеробом. Можешь покупать все, что вздумается, но это должны быть вещи... хорошего тона, не слишком вызывающие, но должно быть видно, что ты дама богатая и знаешь, как вести себя в роскошном отеле. Драгоценности не покупай, тебе их доставят в номер. И никому ни звука, ни подружкам-вострушкам, ни даже Господу Богу. Со всеми проблемами ко мне. Кстати, с кем это ты беседовала, когда я пришел?

— Подруге позвонила... мы хотели сегодня встретиться...

— Позвони ей сейчас же и скажи, что уезжаешь в командировку. Звони!

Она покорно позвонила и извинилась.

— А ты далеко в командировку собралась? — полюбопытствовала Алька.

— В Казахстан! — ляпнула Туся первое, что пришло в голову.

Трунов одобрительно кивнул.

— Жаль, конечно, ну ничего, а ты надолго?

— Как минимум на неделю.

— Ладно. Приедешь — позвони.

— Сейчас езжай экипироваться, — распорядился Трунов

— А вы?

— Ну вообще-то рассчитывал на твою помощь.

— Может, лучше Светлану Сергеевну попросить?

— Нет. В таких вещах она не разбирается. А у тебя все же больше представлений, что тут надо...

— Да откуда ж мне знать... Хотя ладно! Мы ж все равно русских будем изображать?

— Конечно.

— Тогда справимся. А если чего-то не найдем, купим там. Даже лучше. Чем заниматься богатой русской даме в Ницце? Шопингом, правда?

— Оно конечно, но на первое время...

— Только на первое время. А то накупим невесть чего, а там этого не носят.

— Мне нравится ход твоих мыслей!

— Владимир Иосифович, а на какую сумму эта карточка?

— Не волнуйся, на все хватит.

— А вдруг я возьму и накуплю на десять тысяч?

— На десять тысяч? — засмеялся Трунов. — Долларов?

— Евро!

— Думаю, он и не заметит... Можешь вполне превысить эту сумму... Насколько я понял, кредит неограниченный.

— Но откуда он знает, что я его не разорю?

— Думаю, дамочке вроде тебя не разорить его, сколько бы ты тряпок ни накупила. К тому же он прекрасно разбирается в людях. Меня он вообще знает тыщу лет, а тебя с первого взгляда видно.

— Но зачем нам неограниченный кредит?

— А мало ли! Вдруг понадобится нанять яхту, вертолет, подводную лодку?

— Шутите?

— Только отчасти.

— Ну ничего себе!

— Боишься?

— Боюсь. А что, он считает, что его жена связана с конкурентами?

— Есть такое подозрение.

— А мы должны ее разоблачить?

— Разумеется.

— А если мы разоблачим, что он с ней сделает? Закатает в асфальт?

— Ну насмотрелась фильмов! Дело в том, что он вовсе не уверен, что это его жена... Он просто хочет исключить этот вариант. А вообще... Не пытайся ты во все вникать, просто доверься мне. И запомни: мы с тобой профессионалы, нам за это по-царски платят, мы будем жить в шикарнейших условиях, тряпки останутся тебе, это помимо гонорара, а все остальное не бери в голову! Да, и никому не говори, куда ты едешь.

— Но ведь я могу кого-то встретить, например, в аэропорту, в самолете, в Ницце, наконец.

— Ну и что? Ты свободная женщина, у тебя богатый поклонник... Имеешь право!

— А имена?

— Не волнуйся, имена сохраним наши.

И они поехали по магазинам.

В оставшиеся два дня у Туси не было свободной минутки. Магазины, примерки, салон красоты — некогда было даже ни о чем подумать. Хорошо еще, что Ниночка, как всегда летом, уехала в Тарусу. Однако если выдавались свободные минутки, Тусю охватывал ужас. Во что я влипла? А вдруг, если мы справимся с заданием, нас решат убрать как ненужных свидетелей? А если не справимся? Тогда нас тем более могут убрать. Странно все это, дико. И как будто не в жизни происходит, а в сериале про Турецкого. Только я-то не Турецкий и не Грязнов. Что им стоит придушить меня как куренка, вон у этого Бориса Борисовича в охранниках какие громилы... И никто не узнает, где могилка моя... Это еще почище, чем Маруся Климова. Но ведь Трунов же не мальчик. Зачем ему-то в такое ввязываться? Из-за денег? Его можно понять. А может, отказаться, пока не поздно? Или уже поздно? Нет, не поздно, пока мы в Москве — не поздно! Может, симулировать какую-нибудь болезнь? Она вспомнила, как Алька рассказывала, что в школе, желая избежать какого-то экзамена, что ли, симулировала приступ аппендицита. Ей удалось обмануть всех, ей вырезали вполне здоровый аппендикс, она лежала в больнице, оттянула время. Короче, добилась своего. Может, и мне так сделать, а? Ну полежу я в больнице, большое дело, но зато жива останусь. А Трунов пусть как хочет... Но она вспомнила о том, каких тряпок себе накупила, вспомнила месяцы в больнице после травмы и решила: будь что будет! Лучше перед смертью пожить как в сказке. А операция, тем более без острой необходимости, тоже вовсе не безопасна. Ну вырежут аппендикс, а потом забудут в брюшной полости какой-нибудь тампон... Тоже может привести к летальному исходу. А удовольствия никакого. Так хоть поживу как королева... Митчел когда-то сулил мне такую жизнь, а я не захотела. А вот Кирилл.... Сразу заболел живот и сердце. Нет! Кто такой Кирилл? Я уж и не помню...

...А в воскресенье очень рано утром за ней пришла машина, и не какая-нибудь, а «мерседес», и повезла в Шереметьево. Шофер, молчаливый хмурый тип, вытащил из багажника целую кучу умопомрачительно-дорогих и красивых чемоданов и отвез их на тележке к месту регистрации. Они летели бизнес-классом, из чего Туся сделала вывод, что работа уже началась.

— Наталочка! — К ней спешил Трунов, странно загорелый. Позавчера, когда они расстались, этого загара не было.

— Боже, как вы загорели! Где? На Багамах?

— Да нет, какие Багамы! На Сардинии! Наталочка, ты сногсшибательна!

— Признайтесь, загорали в салоне?

— Ну это и козе понятно, — шепнул он в ответ.

— А Светлана Сергеевна вас не провожает?

— С ума сошла?

— Ах да!

— А мы не через VIP зал пойдем?

— Нет. Это уж слишком было бы. Мы богатые, а не нувориши.

— А зачем нужно притворяться богатыми?

— Чтобы быть вхожими туда, куда вхожа наша олигархическая жена. По-моему, это элементарно.

— А нас не замочат в конце?

— Это от нас зависит, — подмигнул он ей.

— Ни фига себе! Я боюсь!

— Не бойся, прорвемся! Пошли для начала в Ирландский бар! Любишь айриш-кофе?

— Нет.

Вылет задерживался на час. Ужасно хотелось спать, особенно после Ирландского бара. Трунов задремал в кресле, а Туся пошла пройтись по шереметьевским магазинам дьюти-фри. При любой возможности смотрела в зеркало и жутко нравилась себе в прелестном костюме цвета «пепел розы» от Донны Каран. Черт, мои часы совершенно не гармонируют со всем остальным. Они просто выдадут меня с головой. Может, купить тут что-то подороже и пошикарнее? Нет, неудобно. Сказал же Трунов, что украшения принесут в номер. А часы? Она незаметно сняла японские недорогие часики и сунула в сумку от Живанши. Черт возьми, а в этом что-то есть... Да, я все-таки авантюристка. Но как поздно я это поняла. У меня вообще запоздалое развитие. Почувствовала себя взрослой в сорок лет... Уму непостижимо! Хотя моему несчастному умишке непостижимо многое. Например, роман со свекром...

Она рассматривала в витрине часы. Тут были часы хороших фирм, но ничего не нравилось. Куплю в Ницце. И вдруг она почувствовала на себе чей-то пристальный и даже тяжелый взгляд. Обернулась и застыла на месте. У прилавка с мужскими рубашками стоял... капитан Грант! Но этого не может быть! Это, наверное, его двойник! Или брат-близнец. Поймав ее ошалелый взгляд, он коротко кивнул и отвернулся. Но все-таки кивнул! Значит, это он!

Забыв о часах, она кинулась к Трунову и бесцеремонно дернула его за рукав.

— А? Что?

— Знаете, кого я сейчас тут видела?

— И кого же? — напрягся Трунов.

— Капитана Гранта!

— Наталочка, ты рехнулась? Какого еще капитана Гранта? А корабль «Дункан» тоже тут?

— Не придуривайтесь, — зашипела она. — Грант Айрапетян, помните такого?

— Шутки?

— Какие шутки?

— Ты обозналась.

— Ничего я не обозналась! Он даже мне кивнул и отвернулся! Ему, наверное, противно на меня смотреть.

— В этом наряде? Никому не может быть противно на тебя смотреть!

— Послушайте, но что это значит? Его выпустили?

— По-видимому, да.

— Иными словами, он не виновен?

— Отнюдь! Это значит, что он либо откупился, либо... либо благодаря тебе.

— Что вы порете! — рассердилась Туся.

— Все именно так и обстоит. Мы, благодаря твоим чарам, изъяли у него такую папочку, за которую его упекли бы на очень большой срок. А благодаря тебе он не просто гуляет на свободе, а еще и летит куда-то в загранку. Правда, он этого не понимает, вот и сделал тебе козью морду. Не расстраивайся, захороводишь и не такого. Слушай, дай вздремнуть, а?

— Но вы же говорили, что он опасный преступник?

— Ну и что? По-твоему, мало опасных преступников гуляет на свободе? Но в одном могу тебя уверить: он не маньяк, не убийца. Он, в общем-то, скорее авантюрист... ну и промышленным шпионажем не брезгует и шантажом. Для тебя он не опасен, спи спокойно.

— Владимир Иосифович, вам не стыдно?

— Почему мне должно быть стыдно?

— Вы используете меня, что называется, вслепую... Я ничего в ваших делах не понимаю...

— И прекрасно! Если б ты понимала, то испортила бы нам всю обедню. Живи спокойно. Все будет отлично! И никто тебя мочить не собирается. Слушай, имей совесть, я устал. Поди погуляй.

Сколько Туся ни ходила по аэропорту, капитана Гранта она больше не встретила. Она поднялась в ресторан. А вдруг я там его обнаружу? Тогда подойду...

Но его не было и в ресторане. Она спустилась вниз. И тут объявили посадку на самолет до Парижа. Жаль, что мы летим прямо в Ниццу, подумала она и вдруг сквозь стекло накопителя увидела капитана Гранта. Он летит в Париж? А вдруг из Парижа он поедет в Ниццу? Чем черт не шутит? Вдруг судьба столкнет нас в третий раз?

В самолете Трунов передал ей два листочка, напечатанных на компьютере.

— Вот, изучи и запомни.

— Это что?

— Твоя легенда.

— Ой, мамочки! — испугалась она.

— Там все максимально приближено к твоей жизни.

Туся погрузилась в чтение. Брошюрка оказалась захватывающей. Наталья Дмитриевна Челышева, в прошлом балерина, ныне свободная женщина, разведена, о мужьях ни слова, зато роман с Митчелом Мак-Лейном освещен достаточно пространно, это как бы отправная точка в женской карьере госпожи Челышевой. Ныне она владеет несколькими ателье в Прибалтийских странах, работает дизайнером, в основном для своих ателье.

— Владимир Иосифович, какие, к черту, ателье в Прибалтике?

— Какая разница, какие? Кого могут интересовать прибалтийские ателье? Во всяком случае, не нашу подопечную. Ты не должна быть просто содержанкой. К тому же ты прекрасно шьешь. Так что предмет знаешь.

— Откуда вам известно, что я вообще умею шить?

— От Светки. Ты же ей что-то там шила, когда вы вместе жили. Да не волнуйся! Может, это и не понадобится. Это на всякий случай. К тому же ты только начинаешь свой бизнес.

— И уже могу остановиться в отеле такого класса?

— Это опять-таки твое личное дело. У тебя богатый любовник.

— Это вы, что ли?

— Разумеется. И не смотри на меня так скептически. Любовники, особенно богатые, бывают разные, учти. Кстати, а почему это у тебя нет любовника?

— А почему вы так в этом уверены?

— А что, есть? — вдруг перепугался Трунов.

— А как же!

— Врешь ты все! Нет у тебя никого!

— Вы не правы...

— Ну, может, в Рио-де-Жанейро...

Она вздрогнула.

— Или в Южной Африке. В Москве, по крайней мере, нет.

Она поняла, что Рио-де-Жанейро был упомянут просто ради красного словца и всезнающий Трунов все-таки не все знает.

— А вообще-то, моя дорогая, я вот что хочу тебе сказать — воспринимай все это не как задание, не как работу, а как увлекательную игру, спектакль. Ты же работала в театре! Это должно помочь. Ты получила звездную роль и должна, просто обязана ее сыграть. И не думай ни о какой киношной чепухе — замочат, закатают в асфальт и все такое. Чушь. Это игра; и только.

— Но почему же вы не пригласили на эту роль настоящую актрису?

— А времени не было. И потом, ты тоже актриса. С Айрапетяном твоим сыграла все мастерски. Мужик просто обалдел от тебя.

Эх, знали бы вы, что ничего я не играла... Просто мне показалось, что с ним я могу забыть Кирилла...

— И вообще, волков бояться — в лес не ходить.

— Можно подумать, что вы оставили мне выбор...

— Ладно, ворчи, если хочешь. А я посплю. Ворчи, ворчи, мне не мешает.

Ницца была прекрасна. Солнце, море и невероятной роскоши отель. У Туси оказался двухкомнатный номер с огромной ванной комнатой и выходящим на море балконом. Юный мулат внес в номер ее чемоданы, она рассеянно, как и подобает такой даме, дала ему щедрые чаевые.

— Ну как тебе? — поинтересовался Трунов, зайдя к ней через четверть часа.

— Фантастика, тут даже рояль есть. Зачем мне рояль?

— Хочешь, чтоб убрали?

— Да нет, пусть стоит. А вы на каком этаже?

— На этом же. Ну вот что, давай быстренько приводи себя в порядок и иди знакомиться.

— С кем?

— С Мариной.

— Ее зовут Марина? И я должна с ней познакомиться?

— Лучше бы не просто познакомиться, а подружиться.

— А если она не пожелает?

— А ты постарайся.

— Но как я ее найду?

— Да она часами торчит у бассейна.

— А в море она не купается?

— Думаю, нет. Ты разве не замечала, что нынче очень многие предпочитают бассейны живому морю, идиоты несчастные.

— Замечала. И в Турции, и на Канарах... Но не понимаю.

— Придется понять. Кстати, хочешь, покажу тебе твою подопечную?

— Конечно!

Одно из окон выходило на бассейн.

— Вон видишь — в серебристом купальнике?

— Вон та? На лиловом полотенце?

— Точно!

— Лица не разгляжу отсюда.

— У тебя еще будет такая возможность.

— Но как я к ней подойду?

— Тебя всему надо учить?

— А вы как думали? Я вам что, Мата Хари?

— Ладно, не злись. Ну пройди мимо, споткнись и выругайся по-русски. А там видно будет.

— Как в «Бриллиантовой руке»? «Тшорт побьери»?

— Ну что-то в этом роде. А я к тебе через некоторое время присоединюсь. И помогу, если надо.

Через двадцать минут у бассейна появилась Туся. Она выглядела прелестно в черном купальнике и бледно-зеленой сетчатой накидке. На голове тоже зеленая сетчатая шляпа. Этот туалет стоил немереных денег. Она сразу почувствовала на себе любопытные взгляды. Проходя к свободному лежаку рядом с Мариной, она действительно споткнулась. Как советовал Трунов.

— Ох, черт! — поморщилась она, словно от боли, и как будто невольно опустилась на свободный лежак.

И надо же, это подействовало.

— Вы русская? — повернулась к ней Марина.

— Да, — улыбнулась Туся. — Я вам не помешала?

— Нет, что вы, я рада, будет хоть с кем словом перемолвиться.

— Я тоже рада, — еще шире улыбнулась Туся.

— Только приехали?

— Да.

— Из Москвы?

— Прилетела из Москвы, но живу в основном в Риге.

— А... Когда-то я с родителями часто там бывала.

— В Юрмале, наверное?

— Нет, в основном в Дубултах. В писательском Доме творчества.

— А...

— Вы тут одна?

— Не совсем. А вы?

— И я не совсем. Хотя много времени провожу одна.

— Я тоже.

— Так, может, познакомимся, а?

— С удовольствием. Я Наташа.

— А я Марина. Может, выпьем по случаю знакомства?

— С удовольствием.

Марина сделала какой-то знак, и к ней подскочил юноша, которому она заказала две «Кровавых Мэри».

— Знаете, от «Кровавой Мэри» на солнце не разморит. Или вы хотели что-то другое?

— Нет, обожаю «Кровавую Мэри»!

Марине было лет тридцать — тридцать пять. Красивая холеная женщина с какими-то несчастными глазами. Она вызвала у Туси симпатию.

— Пообедаем вместе сегодня? — предложила Марина.

— С удовольствием, — искренне ответила Туся. Все получилось как нельзя лучше, хотя совесть все-таки мучила ее.

Но вот у бассейна появился Трунов в модных длинных шортах с полотенцем через плечо!

— А, вот ты где! Купалась?

— Нет еще!

— Пойдем?

— Не хочется, — капризно протянула Туся.

— Глупости, пойдем! — не терпящим возражений тоном заявил Трунов и потянул ее за руку.

Туся неловко улыбнулась Марине: мол, ничего не поделаешь, придется пойти. Та понимающе улыбнулась в ответ.

— Володя, подожди, я хочу тебя познакомить. Это Марина! А это...

— Владимир! — сам представился Трунов. Тон у него был не слишком приветливый. — Пошли искупаемся, у меня мало времени.

Туся пошла за ним.

— Мы обедаем вместе, — тихо сообщила Туся.

— Знаю. Пока все хорошо.

— Откуда? — поразилась Туся.

— Много будешь знать — скоро состаришься. Но вообще я доволен. Даже не рассчитывал на такой эффект, молодчина.

— Вы что, куда-то мне жучок засунули? — вдруг догадалась Туся.

— А как же! Я все должен знать. Каждую минуту. А то мало ли...

— Она милая. И несчастная.

— Там видно будет. Ты не расслабляйся.

— Ладно. Что мне за обедом-то делать?

— Обедать. И следить, какие контакты у нее будут. Даже мимолетные...

Но ровным счетом никаких контактов Марины с кем-либо, кроме официантов, Туся не засекла. У них с Мариной оказалась масса общих интересов и пристрастий.

— Знаешь, — они почти сразу перешли на «ты», — знаешь, Наташа, ты мне кого-то безумно напоминаешь, не могу понять кого...

— Такое бывает.

— У меня ощущение, что я видела тебя совсем недавно. Но где — не могу вспомнить.

— Может, в Москве?

— Может быть. Не знаю. Слушай, а этот тип, он кто, твой спонсор?

— Ну в общем, да, — мило потупилась Туся. — Знаешь, мой бизнес еще только раскручивается, и я не могла бы себе позволить...

— А какое отношение ты имеешь к Латвии? Почему именно там?

— У моей прабабки в Риге был свой дом, мне его вернули, как это называется... реституция, что ли? Ну, одним словом, я вдруг оказалась владелицей дома. Думала, продам к черту, но там было помещение для ателье, ну и вот... Я занялась... Потом открыла еще одно в Таллине... ну это уж мне Володя помог...

— Но он не муж тебе?

— Нет. У него жена есть...

— Все они так — есть жена, так им мало...

— А я не хочу замуж, так все же лучше. Надоест уж очень, турну его...

— Ах, как я хотела бы турнуть своего... Но, похоже, он меня раньше турнет. Знаешь, я так рада, что встретила тебя... А то скучно было — сил нет.

— Так зачем же ты тут торчишь?

— Надо! — вздохнула Марина.

Туся напряглась.

— Надо? Зачем?

— Есть тут у меня одно дельце, я тебе как-нибудь расскажу, сейчас неохота. Но если оно выгорит, тогда моя жизнь в корне изменится.

Ой, подумала Туся. Мне страшно. Что она имеет в виду?

— Ладно, захочешь — расскажешь, — улыбнулась она новой подруге.

— Слушай, а не пробежаться ли нам по магазинчикам?

— Конечно, с наслаждением! — обрадовалась Туся. — Я хочу многое купить. Во-первых, часы. Я свои потеряла.

— Потеряла? Где?

— Если б знать.

В результате они накупили массу вещей, но только не часы. О часах они напрочь забыли.

— Что ты вечером делаешь? — спросила Марина, когда они после шопинга сидели в кафе над морем.

— Это уже не от меня зависит.

— Понятно. А вы в одном номере остановились?

— Нет. Какие-то приличия он все же соблюдает.

— Но ночует у тебя?

— Не всегда.

— Понятно. Ну, если он тебя сегодня не ангажирует, позвони мне. Ладно? Поужинаем где-нибудь.

— Конечно. Обязательно.

Они вернулись в отель. Не успела Туся закрыть дверь номера, как к ней явился Трунов.

— Вот смотри, тут украшения. — Он открыл небольшой сейф, скрытый за портьерой в спальне. В сейфе лежало несколько ювелирных футляров. Трунов взял первый попавшийся.

— Ой, мамочки! — ахнула Туся. Там лежало невероятное колье — сапфиры с бриллиантами и такие же серьги. — Это все настоящее? — испуганным шепотом спросила Туся.

— Думаю, нет, а впрочем, драгоценности ведь тоже можно взять напрокат.

— Я не надену это.

— Почему?

— Боюсь. У меня драгоценности всегда связаны с неприятностями. Я же могу потерять...

— Ну, это уж риски Бориса Борисовича. А тебе должно пойти, давай примерь!

— Нет, даже примерять не стану. Зачем? А вдруг мне понравится? У меня же таких никогда не будет. Зачем привыкать? Нет, не стану, это мое последнее слово. В конце концов далеко не все даже роскошные женщины носят драгоценности.

— Ну дело хозяйское, — пожал плечами Трунов. — Ты все-таки чудачка.

— Какая есть! — буркнула Туся.

— Даже взглянуть не хочешь?

— Не хочу!

— Ладно, черт с тобой! Тогда докладывай!

— Зачем докладывать? Вы ж небось все и так слышали.

— Увы, не все! В некоторых местах было достаточно шумно.

— Единственное, что могло бы вас заинтересовать — она сказала, что ей скучно здесь до полусмерти, я спросила, зачем она тут торчит в таком случае, а она намекнула, что чего-то ждет. Или кого-то, и тогда ее жизнь может коренным образом перемениться. Больше ничего интересного.

— О, это может быть просто любовник, а может, и какая-то афера затевается. Ну какие планы?

— Она предложила провести вместе вечер, если вы меня не ангажируете.

— Ну что ж, все складывается куда лучше, чем я ожидал, то есть просто замечательно! Я приглашаю вас обеих ужинать!

— Ну не знаю, согласится ли она на такой вариант.

Но Марина отказалась от приглашения, сославшись на сильную мигрень.

— А вот это скверно! — огорчился Трунов. — Тогда и наш с тобой ужин отменяется.

— Почему?

— Потому! Ты закажи ужин в номер и никуда не выходи. А я буду следить за дамочкой.

— Так, может, я позвоню и скажу, что вас куда-то вызвали, и она согласится?

— Это опасно. Она может что-то заподозрить. Я дурак, надо было бы мне... Ну что сделано, то сделано.

— Знаете, мне кажется, куда лучше, если мы с ней будем общаться с глазу на глаз. Я скажу, что у вас какие-то дела или еще что-то, а вы будете следить за нами. Если она вас где-то и приметит, то решит, что вы из ревности следите за мной.

— Наталка, да тебе пальца в рот не клади... Сечешь в нашем деле. Или просто хочешь от меня отделаться?

— Нет, но... сами видите, ей нужна подруга!

— Наверное, ты права...

...Прошло три дня. Туся почти все время проводила с Мариной. Трунов лишь изредка появлялся. Туся чувствовала, что Марину он почему-то раздражает.

— Слушай, а давай мотанем в Монте-Карло? — предложила Марина.

— В Монте-Карло? Играть?

— Не обязательно. Просто проехать по Корниш уже само по себе событие. Такая красивая дорога! Возьмем машину... Ты хорошо водишь?

— Вообще не вожу, — развела руками Туся.

— Как же ты живешь?

— Живу как-то. Боюсь садиться за руль. Я рассеянная.

— Я вообще-то вожу, но по Корниш боюсь ездить. Там часть дороги над пропастью проходит, и мне не по себе. Можем взять такси.

— Ой, я ужасно боюсь горных дорог... Ну его. А морем туда можно добраться?

— Не могу морем. Укачивает жутко.

— Ну так черт с ним, с Монте-Карло.

— Думаешь?

— Уверена!

— Слушай, а давай пойдем в итальянские кварталы. Там красиво, приятно и можно очень вкусно поесть прямо на улице. Надоели мне эти пафосные заведения.

— С удовольствием. Но мы там от жары не сдохнем?

— А мы под вечер туда пойдем. А с утра просто пошляемся. Кстати, ты же так и не купила часы!

— Ой, совсем забыла... — засмеялась Туся. — Ладно, пошли.

Черт, зачем я ляпнула про часы? — думала она. При ней придется покупать что-то очень дорогое. А я совсем этого не хочу. Надо как-то умудриться опять забыть про часы.

И она потащила Марину в магазин керамики. Там они охали и ахали, Марина хотела купить огромную напольную вазу из Мексики, но потом раздумала и как-то загрустила. Туся не стала приставать к ней с вопросами. Она поняла, что Марина, видимо, не слишком уверена в прочности своего дома.

Они вышли на улицу, собрались перейти на другую сторону и остановились, пропуская роскошную открытую машину, за рулем которой сидел... Митчел Мак-Лейн. Туся еще не успела ничего понять, как он вдруг резко затормозил и крикнул что есть мочи:

— Натали!

Она метнулась в сторону, а к нему подбежал невесть откуда взявшийся полицейский. Мак-Лейн, не обращая на него внимания, выскочил из машины, хотел броситься к Тусе, но полицейский засвистел, Туся вбежала в первый попавшийся магазин. Он не успел заметить в какой, а полицейский все не отставал от него.

— Наташ, ты с ума сошла? Это же Мак-Лейн! Ты его знаешь? — вытаращила глаза Марина.

— Знала когда-то. Давно.

— Но почему ты убежала?

— Не хочу с ним встречаться.

— У вас что-то было?

— Было, да сплыло. Марин, посмотри, он уехал?

— Нет еще. С полицией отношения выясняет.

— О, это его любимое занятие — выяснять отношения.

— Ты мне расскажешь?

— О чем?

— Ну о вашем романе?

— Расскажу, ладно, хотя ничего интересного, можешь мне поверить. Он редкий зануда. А зависти было... вспомнить страшно. Посмотри еще.

— Уехал.

— Фу, мне надо холодной водички выпить.

— Пошли! Это не проблема.

Они сели в кафе, но не на улице, а в душноватом, несмотря на кондиционер, помещении.

Не успела Туся отпить глоток из запотевшего стакана, как у нее зазвонил мобильник. Трунов.

— Наталочка, у меня две новости!

— Плохие или хорошие?

— Одна плохая, вторая хорошая. Начну с хорошей. Ты можешь сейчас послушать?

— Могу.

— Она рядом?

— Конечно.

— Так вот, все подозрения с нее сняты. Она чистая. Загадка разгадалась совсем в другом месте. Можешь больше не напрягаться.

— Ох, я рада! А плохое что?

— То, что послезавтра мы уезжаем. Хорошенького понемножку. Ты расстроилась?

— Да нисколько! Я очень довольна.

— Ну и чудненько. Только не вздумай на радостях все ей рассказать. Это лишнее, сечешь?

— Да.

— Я тоже рад. Сказать по правде, я так по Светке соскучился. Просто жуть. Ладно, гуляйте там, а я пойду поищу Светке подарок. Освободишься — позвони.

— Обязательно, Володечка!

Глава вторая

Что-то мило про любовь нам
лопотал водопровод.

Из песен Б. Абарова

— Ну что случилось?

— Да знаешь, Марин, придется нам послезавтра уехать.

— Как?

— У него какие-то проблемы, с одной стороны, с другой, наоборот, он выиграл какой-то тендер, и нужно его присутствие.

— А ты остаться не можешь? — с тоской спросила Марина.

— Нет, он знаешь какой ревнивый? Ни за что меня тут одну не оставит.

— Жаль, я как-то к тебе привязалась. Плохо, что ты не в Москве живешь...

— А я часто бываю в Москве, чаще, чем в Риге. Так что сможем видеться. А вообще у нас еще почти весь сегодняшний день и завтрашний! Надо радоваться тому, что есть! Только таскаться по магазинам я больше не хочу, надоело!

Опять зазвонил Тусин мобильник. Это оказалась Алька.

— Ну ты и сволочь, подруга, называется! — с места в карьер напустилась она на Тусю.

— Аль, ты чего орешь? В чем дело?

— Мне насвистела, что едешь в командировку в Казахстан, а сама в Ниццу с любовником укатила!

— Что-что? — немного растерялась Туся.

— Тебя там засекли с каким-то мужиком в шикарном отеле... Скажешь, нет?

— Скажу — нет! Я не виновата, если у кого-то галлюцинации!

При этих словах Марина вздрогнула, пристально посмотрела на Тусю и вдруг хлопнула себя по лбу.

— У меня тут тридцать три несчастья, ты со мной даже встретиться не удосужилась, в командировку она едет!

— Аль, ты чего так орешь?

— Хочу и ору! А вообще шла бы ты к чертям собачьим! Изображаешь из себя страдалицу, а сама...

— Я вернусь и поговорим, а ты пока приди в чувство.

— Да не желаю я больше с тобой разговаривать.

— Дело хозяйское, — холодно проговорила Туся и отключила телефон.

— Что на этот раз? — полюбопытствовала Марина.

— А... Ерунда.

— Слушай, Наташ, я вспомнила, где я тебя видела!

— Да?

— Ты сказала слово «галлюцинации»! И меня как что-то стукнуло! Я вспомнила! Может, это и не ты, даже скорее всего, но... Поехали!

— Куда?

— Да тут недалеко, в одно занятное место! Посмеешься!

Она буквально волоком потащила Тусю вон из кафе, запихнула ее в такси.

— Куда ты меня везешь? — смеялась Туся. Она рада была, что горячность Марины совершенно перебила неприятные ощущения от разговора с Алькой.

— Не волнуйся, в одну художественную галерею.

— Зачем?

— Увидишь!

Через десять минут они уже вышли из машины. Туся не успела опомниться, как Марина втолкнула ее в стеклянную дверь. Там по стенам были развешаны яркие абстрактные картины.

— Черт, я что-то спутала? Да нет вроде! Мсье! — обратилась она к мужчине, вальяжно раскинувшемуся с газетой в кресле у вентилятора. Хотя в помещении работал кондиционер. Мужчина нехотя отложил газету.

— Чем могу служить, мадам?

— Мсье, на прошлой неделе у вас была выставка, другая, я не запомнила фамилию художника, но...

— А, понимаю. Так вы опоздали. Вчера был последний день!

— И все работы уже увезли?

— А вы хотели бы что-то купить?

— Да!

— Что именно?

— А это возможно в принципе?

— Смотря о чем речь.

— Вообще я хотела бы купить серию рисунков «Галлюцинации серой собаки».

Тусе показалось, что она либо ослышалась, либо не поняла. Ее французский был еще хуже Марининого.

— Это не продается.

— А взглянуть я могу еще раз? Может, договорюсь с автором?

— Взглянуть можно. Работы заберут только завтра. То есть часть уже забрали, но рисунки еще тут.

— Могу я показать их своей подруге?

— Разумеется, мадам.

— А еще я хотела бы заказать ему изразцы для ванной комнаты...

Тусе показалось, что она ослышалась. Кровь бросилась в лицо. Так не бывает.

Хозяин галереи скрылся за массивной дверью.

— Марина, кто этот художник? Как его зовут?

— Кирилл Сотомайор. Ой, что с тобой? Тебе плохо?

В этот момент хозяин вынес большую толстую папку.

— Вот, мадам! — Он взглянул мельком на Тусю и обмер. — Ох, это же ваши портреты... Мой бог!

Это была серия из десяти рисунков, скорее даже набросков. Туся во всех видах! Танцующая, сидящая в кресле, стоящая у окна...

— Ну? Что я говорила. Это ты?

— Боюсь, что да... — едва слышно пролепетала Туся. Он рисовал меня по памяти... Он не забыл меня... Господи, а я... он ведь теперь уже бывший свекор, и это не имеет ровным счетом никакого значения.

— Слушай, это и вправду ты? — ошалело спрашивала Марина, дергая ее за рукав.

— Я. Я тебе все расскажу... Все-все... Я просто не знаю, как мне быть. Марина, я выйду на улицу... Не могу больше...

— Мадам, может, хотите воды? На улице жарко, посидите лучше тут, — засуетился хозяин.

Но Туся не стала его слушать, вышла на улицу и прислонилась к стене.Стена была горячая. Через несколько минут появилась Марина.

— Ну в чем дело? Опять бывший хахаль? — с улыбкой спросила она.

— Да, — кивнула Туся. — Его я люблю.

— А он?

— И он.

— Ну так в чем дело? Ты предпочитаешь этот денежный мешок?

— Слушай, я должна рассказать тебе все, о себе и о тебе, иначе я не могу...

— Обо мне? — удивилась Марина. — Что это значит?

— Пошли куда-нибудь, посидим. Лучше всего в баню.

— В баню? В какую баню? Что ты говоришь?

— Неважно, в любую. Лишь бы раздеться догола, — лихорадочно бормотала Туся.

— Зачем догола-то? Ты что, лесбиянка?

— Ах боже мой, просто... Слушай, у нас в отеле есть турецкая баня?

— Ну есть. Только я не выношу баню. Ты вообще в своем уме, Наташ?

— Хорошо, тогда подожди меня минутку, ладно? Туся забежала за угол и позвонила Трунову.

— Соскучилась? — отозвался он веселым голосом.

— Не успела. Скажите, вы еще слушаете нас?

— Нет, зачем? Уже не надо.

— Точно?

— Точно. А в чем дело?

— Поклянитесь Светланой Сергеевной!

— Ты не заболела?

— Нет! Просто мне надо... Я должна рассказать Марине об одной своей любовной истории и не хочу, чтобы кто-то еще ее слушал.

— А что, так припекло?

— Припекло! Я вам потом объясню. Значит, вы клянетесь Светланой Сергеевной!

— Клянусь! А ты, дуреха, думаешь, это приятно — целый день слушать дурацкий бабий треп? Я отключил все в ту же секунду, как мне позвонили и дали отбой. Очень мне нужны ваши тайны. Я тут вас наслушался, так мне показалось, у меня скоро менструации начнутся.

Туся вернулась к Марине.

— Порядок! Можем пойти в ресторан. Я так проголодалась!

Они нашли небольшой итальянский ресторанчик в тенистом садике, и Туся рассказала Марине сперва о своем задании.

— Я ожидала чего-то в этом духе. Только на тебя никак не подумала. Значит, с меня подозрения сняты? Что ж, это хорошо. Только даром ему это не пройдет!

— Умоляю, не выдавай меня.

— И не собираюсь. Ты клевая баба. А он козел, несмотря на все его миллионы. Ладно, к черту его. Рассказывай давай про художника! Почему твои портреты называются «Галлюцинациями серой собаки»?

— Откуда я знаю? Я думала, я надеялась, что он меня забыл давно, а он помнит...

— Где ты его нарыла?

И Туся рассказала ей все.

— Ну ни фига себе история! Просто как в романе! Но с этим надо что-то делать! Ты сказала, у него дом в Провансе? Но мы ведь тоже сейчас в Провансе! Ты должна к нему поехать! Просто обязана!

— Но я не знаю его адреса!

— Зато я знаю! — Она выхватила из сумочки бумажку с телефоном и адресом Кирилла.

— Но зачем ты взяла его адрес?

— А я хочу заказать ему изразцы. Это такая красотища! И в Москве еще ни у кого таких нет. Кстати, сделаю ему рекламу! Наши богатые идиотки налетят на него как мухи на варенье. Пусть зарабатывает на любимую женщину! Своей любви нет, так хоть на чужую полюбоваться...

— Значит, ты на меня не сердишься?

— За что? Это же твоя работа, и ты ее классно делала, я ничего не заподозрила. А вот хахаль твой вызывал у меня недоверие.

— Он не хахаль. Он начальник.

— Неважно. Но ты ему скажи, что изображать богатого он не умеет. Они себя по-другому ведут. Или более свободно, кто уже привык к большим деньгам, или, наоборот, кто еще не привык, те хотят их демонстрировать... А он ни то ни се. Я думала, может, он прибалтийский бизнесмен, я с ними еще не сталкивалась. Ладно, хрен с ним, вот что, моя дорогая, сейчас мы поедим, возьмем напрокат машину и поедем.

— Куда?

— Не строй из себя дуру. К твоему Кириллу! Я жажду узнать, почему «Галлюцинации серой собаки».

— Марина, лучше я одна...

— Ты же машину не водишь! А добираться туда на перекладных долго. Да ты не думай, я тебя отвезу, а сама остановлюсь в какой-нибудь деревенской гостинице. Даю вам ночь на выяснение отношений. Утром ты мне позвонишь и скажешь, как и что. А то если я тебя брошу там одну, а он какой-нибудь фортель выкинет... Он вполне может оказаться просто психом. Галлюцинации серой собаки... Похоже на психа. Неужто он тебя по памяти рисовал? Невероятное сходство! Слушай, а дай-ка мне твою кредитку? Давай проверим, не заблокировал ли ее Боречка.

Кредитка и впрямь была заблокирована.

— Ох и жлобина же он! Я уверена, что он тебе и не заплатит, сочтет, что довольно с тебя шмоток и жизни в роскошном отеле. Слушай, ты часы из деликатности не покупала? Думала небось, что при мне дешевые покупать западло, а дорогие покупать неудобно?

— Точно.

— Ну и дура!

— Я вообще дура.

— Ты не дура, просто ты... для этой работы не годишься. Слишком порядочная. Ну ничего, теперь ты небось останешься в Провансе жить...

— Перестань, нигде я не останусь. У него, наверное, есть другая женщина. Он, наверное, не может без женщины... Я боюсь туда ехать.

— Что за чушь? Ну даже трахается он с кем-то, и что? Нет, ты должна понять...

— Я и так понимаю... Он нарисовал меня... целый цикл, освободился внутренне и забыл. У моей свекрови, ну бывшей, была знакомая писательница. Так вот, она рассказывала, что у нее в жизни случилась неудачная любовь и долгие годы ее это мучило. А потом она взяла и написала роман про ту любовь и освободилась и забыла...

— Ну это тоже возможно, но надо же проверить.

— Давай на завтра отложим?

— Почему это?

— Ну приезжать на ночь глядя как-то... не того... а завтра мы с самого утра... И ты, кстати, сможешь с ним поговорить насчет изразцов...

— Ну ты и дура! Трусиха!

— И потом, я же должна что-то объяснить Трунову.

— Ерунда! Ничего объяснять не надо. Едем сейчас же! Не надо в любви труса праздновать! Ты говорила, он живет на бывшей ферме? Значит, это

большой каменный дом, плоский, я так и вижу его...
В саду... И твой Кирилл в толстом вязаном свитере,
знаешь, такой грубой вязки? Он трубку курит?

— Нет. Сигареты.

— Пусть сигареты. Он сидит у камина с сигаре-
той и стаканом виски, у ног большая серая собака,
он слушает Малера и мечтает о тебе.

— У него нет собаки. У него серый кот.

— Тогда кот у него на коленях... Вот такая картина. И вдруг звонок в дверь. Кого черт принес в такую бурю? — думает он. А за окном настоящий буран...

— Марина, сейчас июль, откуда буран?

— Ну вот, сбила меня... Не буран, так гроза! Жут-
кая гроза! И он думает: кого черт принес в такую
грозу? Нехотя встает, переложив кота на диван, идет
к дверям, открывает, а там... Там стоишь ты — мок-
рая, с испуганными глазами. Он потрясен! От удив-
ления он роняет сигарету на ковер и кричит: Наташа, это ты?

— Туся, — поправила она и покраснела.

— Нехай будет Туся! Он хватает тебя на руки и
несет в ванную, а там красиво все, в израцах с зе-
леными водорослями... Ну а дальше и так все понятно.

— Еще бы непонятно, дальше пожар начнется,
он же уронил сигарету на ковер!

— Я тебя уговорила?

— Уговорила, только надо же переодеться...

— Мне тоже. И захватить хоть по паре белья.
В такси, по дороге к отелю, Туся спросила:

— Скажи, а почему ты живешь здесь, а не дома?

— Потому что когда-то мне было здесь офиги-тельно хорошо... А еще потому, что в Москве я уже одурела от безделья и общения с богатыми кретин-ками. Мне нужно какое-то дело.

— А ты говорила, что ждешь чего-то или кого-то...

— Просто думала, что у меня есть какая-то дру-гая опора в жизни... А оказалось, никакая он не опо-ра... Такой же козел и трус, как и все. Я тут подума-ла... Может, я буду агентом твоего Кирилла в России? Я кое-что в этом понимаю. Знаешь, я в свое время здорово помогла Борьке подняться. А потом разле-нилась, и сама видишь, к чему это привело. Буду иметь, конечно, некий процент, но зато олигархи-ческие жены и любовницы будут драться за возмож-ность украсить свои дома. Печи начнут ставить, кух-ни переделывать, бассейны... Работы будет непоча-тый край! Как ты думаешь, он согласится?

— Откуда я знаю? — беспомощно улыбнулась Туся. — Я так мало о нем знаю... но вообще это было бы здорово. Он хотел купить квартиру в Москве...

— Теперь купит! У него будет классный агент!

— Марин, а ты же хотела уйти от своего...

— Поживем — увидим! Но я вообще-то... люблю его, козла... Но жить как жила... ни за что! Сама судь-ба нас послала друг другу, тебе не кажется?

— Похоже на то... Послушай, Марина, а может, все-таки сначала позвонить?

— Ни в коем случае. Надо смотреть судьбе в гла-за. Ты должна видеть его глаза в тот момент...

— А вдруг...

— Никаких «вдруг»!

— Ты уверена?

— На все сто! Может, конечно, ты его увидишь и сама не захочешь... Ну тогда все просто.

— Я не захочу? Ты что, ума лишилась? — выкрикнула Туся.

— Это не я ума лишилась, — засмеялась Марина.

Кирилл ехал домой из Экс-ан-Прованса, и отчего-то ему было тревожно. Он гнал на максимальной скорости — надо как можно скорее попасть домой. Там что-то стряслось. Он вспоминал, не оставил ли невыключенными какие-то приборы. Нет, вроде бы нет. Может, в дом забрались воры? Не так уж часто, но все-таки подобные случаи бывают. А может, что-то с Маркизом? Подрал какой-нибудь зверь или бродячая собака? Что-то я тут бродячих собак не видел. Но ведь есть же они... И уже в пяти километрах от дома у него вдруг заглох мотор.

Он выругался и открыл капот. Возился долго, но ничего не смог сделать. Между тем уже темнело. Надо бы вызвать механика. Ладно. Брошу ее тут, пойду пешком, быстрее будет. Он любил ходить пешком, наслаждаясь красотой пейзажа. Весной тут цветут поля лаванды, серебрятся оливковые рощи на мягких холмах. Покой и красота. Но покоя не было, а значит, и красота не радовала. Да к тому же смеркалось. Не беги, говорил он себе, собьешь дыхание, будет только хуже. Поспешишь — людей насмешишь. И потом, возможно, что-то действительно произошло, но не обязательно в доме. Может, в Москве? Что-то случилось с Тусей? У Нинки телефон давно не отвечает, куда-то, вероятно, уехала, и неизвестно, нашла она Тусю или нет. Неужто я ее потерял навсегда? От этой мысли хотелось выть. И он гнал ее прочь. А может, ничего еще не случилось, а только должно случиться? Но вот вдалеке он увидал свой дом. Пожара, слава богу, нет, и на том спасибо. Если бы в дом полезли воры, здесь уже была бы полиция, ведь дом на сигнализации. После криминальной Бразилии он и тут установил сигнализацию, просто по привычке... Стало все-таки легче. Ага, вот и Маркиз бежит навстречу. Слава богу, все в порядке. Он подхватил кота на руки.

— Ну что, брат, соскучился? Ты здоров? Нос вроде бы холодный...

И вдруг в наступившей темноте он увидел, что на крыльце кто-то сидит. Сердце гулко забилось. Это точно женщина... Он бросился бегом. Неужто Симона приехала без предупреждения? На нее это не похоже. Нет, этого просто не может быть... У меня галлюцинации... Он подбежал к дому. На крыльце, сжавшись в комок, видимо от вечерней прохлады, сидела Туся. Она спала! Он перекрестился, хотя не был верующим. Видение не исчезло.

— Туся! — крикнул он, но крик застрял в горле и вышел хрип. Он сглотнул комок. — Туся!

Она подняла голову.

— Это я, Кира, — как-то по-домашнему просто сказала она. — Ничего что я так, без звонка?

В ответ он молча взял ее на руки и понес в дом. Она была легкая и бесконечно родная. Она вздохнула, уткнулась носом ему в шею и подумала: он не в свитере, просто в рубашке, но все равно... И я не вижу его глаз, но все равно и так понятно...

...А утром, когда они завтракали во дворе под тенистым деревом, она вдруг вспомнила:

— Кира, а почему ты свои рисунки назвал «Галлюцинации серой собаки»?

— Что? — переспросил он, наливая ей вторую чашку чаю. — Какие галлюцинации?

— Ну мы с Маринкой так поняли, у нас с французским не очень.

Он вдруг согнулся пополам от хохота.

— У вас с французским не очень? У вас с французским совсем хреново, Тусечка! Серия рисунков называется «Бред сивого кобеля»!

— Это ты сивый кобель?

— А кто же?

— Но почему сивый?

— Почему кобель, ты не спрашиваешь?

Она вдруг залилась краской и лукаво посмотрела на него.

— Нет, не спрашиваю.

Литературно-художественное издание

С е р и я
«ПОЛОСА ВЕЗЕНИЯ:
Бабские истории Екатерины Вильмонт»

Екатерина Николаевна Вильмонт

Бред сивого кобеля

Компьютерная верстка *М. С. Ананко*
Корректор *Е. Н. Петрова*

ООО «Агентство «КРПА Олимп»
121151, Москва, а/я 92
E-mail: olimpus@dol.ru
www. rus-olimp.ru

ООО «Издательство Астрель»
129085, г. Москва,
проезд Ольминского, д. 3а

ООО «Издательство АСТ»
667000, Республика Тыва,
г. Кызыл, ул. Кочетова, д. 93
www.ast.ru
E-mail: astpub@aha.ru

Издано при участии ООО «Харвест».
Лицензия № 02330/0056935 от 30.04.04.
РБ, 220013, Минск, ул. Кульман,
д. 1, корп. 3, эт. 4, к. 42.

Открытое акционерное общество
«Полиграфкомбинат им. Я. Коласа».
220600, Минск, ул. Красная, 23.

КНИГИ ЮЛИАНА СЕМЕНОВА

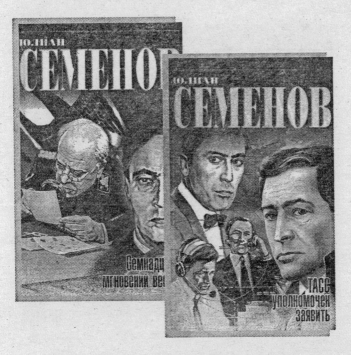

Писатель Юлиан Семенов не нуждается в особом
представлении. Он — культовый автор, создатель советского
«шпионского» романа. Герой романов Семенова легендарный
разведчик Исаев-Штирлиц стал настоящим народным
кумиром. Сам Генеральный секретарь распорядился однажды
представить Штирлица к высокой государственной награде...
Писателю Семенову досталась другая награда — любовь и
признание многих миллионов читателей.